Los Trotamundos

2

Curso de Español para niños y niñas

Fernando Marín Arrese

Reyes Morales Gálvez

edelsa

GRUPO DIDASCALIA, S.A.

Plaza Ciudad de Salta, 3 - 28043 MADRID - (ESPAÑA)

TEL.: (34) 914.165.511 - FAX: (34) 914.165.411

Primera edición: 1999.
Primera reimpresión: 2000.

© Fernando Marín Arrese.
    Reyes Morales Gálvez.

© Edelsa Grupo Didascalia, S. A., Madrid, 1999.

Dirección y coordinación editorial: Departamento de Edición de Edelsa.
Diseño de cubierta, ilustraciones de interior, maquetación y fotocomposición: Quatro Comunicación, S. L
Ilustraciones de Victoria Gutiérrez: págs. 32, 33, 72, 73, 82 y 83.
Fotomecánica: Arce Corporación Gráfica, S. L.
Imprenta: Peñalara, S.A.
Encuadernación: Perellón, S. A.

Fotografías: Autores, págs. 28, 30, 78, 80, 89. Brotons, págs. 15 (2), 27 (2), 42, 47
(Rodrigo Díaz de Vivar "El Cid"), 66. Diario MARCA, pág. 86 (foto del futbolista Pelé
cedida por MARCA). Edelsa Grupo Didascalia, págs. 10, 11, 15 (1, 3), 19 (1, 2),
21 (1, 2 - Museo del Prado, Madrid -), 22, 23, 26 (Caracas), 27 (1), 35, 43, 46, 54,
58, 64 (2), 66, 76 (Cuevas de Altamira, Cantabria, España), 84, 85 (Monumento a
Picasso, Madrid). Internet, pág. 77 (Tamarín león dorado). Secretaría de Turismo
de la Nación de la República Argentina, págs. 15 (4, Cataratas de Iguazú), 78 (1,
Lobería, Punta Pirámide, Península Valdés; provincia de Chubut), 79 (Antártida:
provincia de Tierra de Fuego, Antártida e Islas del Atlántico Sur).

Documentos: Mapa de México, pág. 13 (ICEX). Entrada del Safari Madrid, (pág. 64).

I.S.B.N.: 84.7711.213.4
Depósito Legal: M-3802-2000
Impreso en España.
Printed in Spain.

Presentación

Los **Trotamundos 2** tiene **10 Unidades**

Cada unidad tiene **2 lecciones** (de 3 páginas cada una) + 2 páginas con canciones, proyectos... y los 6 episodios del cómic

SALVAR AL AGUARÁ GUAZÚ

Cada lección tiene **2 partes:** en la primera está lo nuevo que se va a aprender. Por ejemplo:

En la segunda parte de la lección, a partir de ¡EN MARCHA! hay ejercicios y actividades de explotación para hacer uno solo, en parejas o en grupos. Por ejemplo:

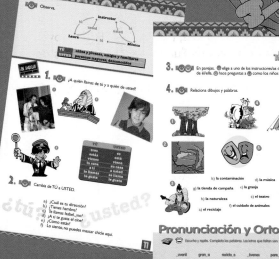

Los juegos, las canciones y el cómic del final de la Unidad sirven para fijar lo aprendido... y para divertirse, claro. No olvides que con nosotros podrás cantar y bailar con el **Karaoke**.

Los Trotamundos 2 — ÍNDICE

Unidad	Comunicación	Lengua	Vocabulario	Aprender divirtiéndose / Pronunciación y Ortografía
0 Introducción — pp. 6-9	Saludar y presentar a otros. Deletrear. Sensibilización cultural. Estrategias de aprendizaje.	El alfabeto. ¿Qué significa...? ¿Cómo se dice / escribe...? ¿Puedes repetirlo?	Objetos del aula. Nombres de países.	Canción y juego: el "Veo, veo". pp. 8, 17
1 Lección uno ¿Cómo se llama usted? — pp. 10-12	Pedir y dar datos personales: nombre, edad, nacionalidad y origen.	¿Cómo se llama usted? / Me llamo... ¿Cuántos años tiene? / Tengo... ¿De dónde es usted?	Naturaleza, medio ambiente y cultura.	La "ge" y la "jota". Músicas típicas. p. 12 Canciones: "El patio de mi casa". p. 15
Lección dos Soy mexicana. — pp. 13-15	Preguntar y decir la nacionalidad y la ocupación.	¿De dónde eres? / Soy de.... ¿En qué trabajas? Soy... / Trabajo en... / Estudio...	Adjetivos de nacionalidad. Nombres de profesiones.	"El nombre de María", "María", "El porompompero", "Veo, veo". pp. 16-17
2 Lección uno ¿Qué día es hoy? — pp. 18-20	Hablar de fechas.	Hoy es... ¿Cuándo se celebra...? Empieza el otoño y acaba el verano.	Las estaciones del año. Fechas señaladas. Acabar - Empezar.	La "ce" y la "zeta". p. 20
Lección dos Después de clase. — pp. 21-23	Hablar de horarios.	Los lunes hay baloncesto a las... ¿Hay visitas a museos? Sí, todos los domingos.	Actividades extraescolares. Asignaturas. Hábitos.	Salvar al Aguará Guazú. Episodio I: Las vacaciones de Carlos. pp. 24-25
3 Lección uno Estos somos nosotros. — pp. 26-28	Hablar de nuestra familia y nuestra casa. Presentar a otros.	Somos..., vivimos en..., nuestros... Posesivos: mi(s)...nuestro(s)... Género y número en adjetivos.	La familia. Partes de la casa.	Dividir palabras en sílabas. Identificar la sílaba acentuada. p. 31
Lección dos Rasgos de familia. — pp. 29-31	Hablar de nuestros familiares. Preguntar por el aspecto de una persona y responder.	¿Cómo es...? / Es alto/a,... Todos los Miranda tienen los ojos grandes.	Partes de la cara y el cuerpo. IMÁGENES CON PALABRAS:	1. En la ciudad pp. 32-33
4 Lección uno ¡Anda, por favor! — pp. 34-36	Pedir permiso, insistir. Conceder y denegar permiso.	¿Puedo ir...? / ¿Te dejan...? Bueno, vale, pero... / No, lo siento. ¡Anda, por favor! Debes. / No debes.	Aficiones, hábitos.	La tilde ( ) en palabras esdrújulas. Proyecto 1: El programa de radio. p. 36
Lección dos ¿Por qué estás enfadada? — pp. 37-39	Hablar de sentimientos y gustos; preguntar por la causa y responder.	¿Qué te pasa? ¿Por qué estás enfadada? Porque...	Sentimientos, estados de ánimo: aburrido/a, nervioso/a, etc.	Salvar... Ep. 2: ¡Carlos en peligro! p. 39 pp. 40-41
5 Lección uno Vamos a poner la mesa. — pp. 42-44	Hacer sugerencias, aceptarlas.	Vamos a poner la mesa. Tú llevas el agua, ¿vale? / ¿Pongo...? Verbos irregulares: traer, poner.	Utensilios para comer. Platos y tipos de comidas. Comida: partes, carta y menú.	La tilde en palabras agudas y llanas. p. 44
Lección dos Yo también. — pp. 45-47	Hablar de gustos y deseos. Expresar coincidencia y diferencia.	Yo también / tampoco quiero... Yo no/sí. A mí también me gusta. ¿Qué hay de postre?	Comida. Aficiones y asignaturas.	Canciones de Hispanoamérica (*). pp. 48-49

5

de nosotros?

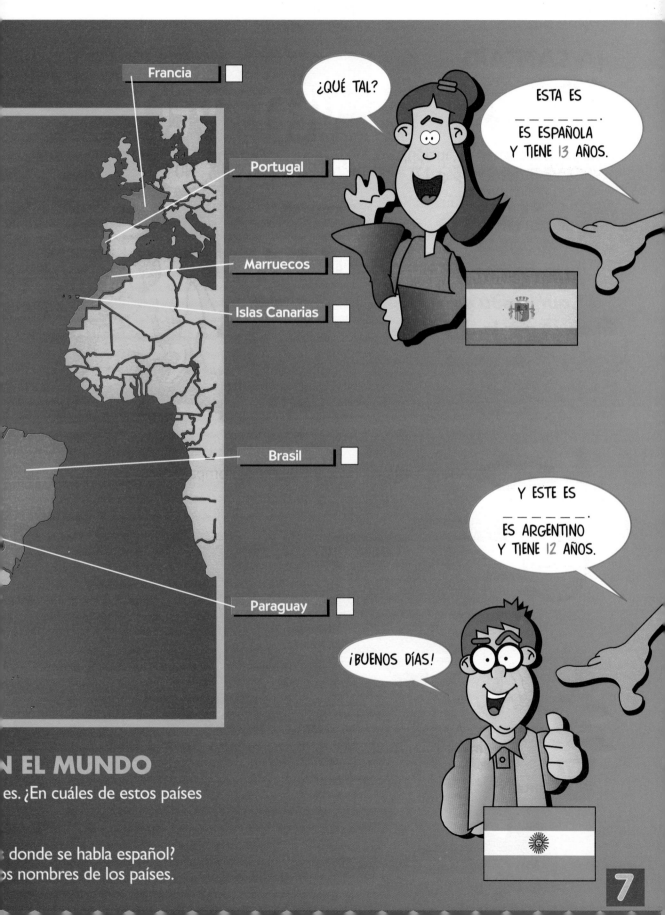

Francia

Portugal

Marruecos

Islas Canarias

Brasil

Paraguay

¿QUÉ TAL?

ESTA ES
_ _ _ _ _ _ _ _.
ES ESPAÑOLA
Y TIENE 13 AÑOS.

Y ESTE ES
_ _ _ _ _ _ _.
ES ARGENTINO
Y TIENE 12 AÑOS.

¡BUENOS DÍAS!

N EL MUNDO

es. ¿En cuáles de estos países

 donde se habla español?
os nombres de los países.

3. ¿CON QUÉ LETRA?

¿Te acuerdas del alfabeto en español?

¡A CANTAR!

Vamos a escuchar la canción VEO, VEO. (letra en pág. 17)

Veo, veo...
¿Qué ves?
Una cosita.
¿Y qué cosita es?
Empieza por la... "p".

4. Ahora juega al VEO, VEO con tu compañero/a.

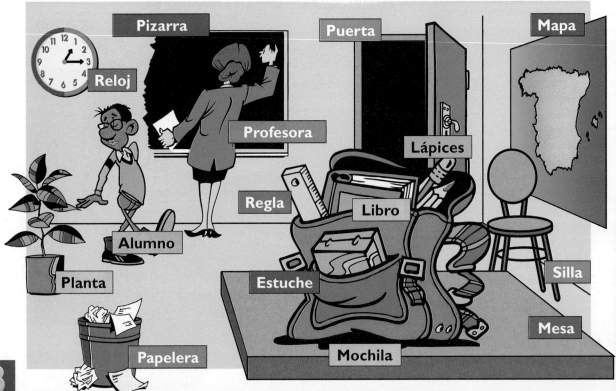

Mauro estudia español. A veces tiene problemas, pero sus amigos le ayudan. Observa.

6.

Ahora haz preguntas a tus compañeros o a tu profesor/-a.

Mira las palabras y pregunta:
¿Qué significa...?

Mira los dibujos y pregunta:
¿Cómo se dice...?

bocadillo

girar

sandalia

fresa

planchar

habitación

¿Cómo se llama usted?

Observa y lee.

- Leonardo Cifuen
- instructor de naturaleza
- 29 años
- mexicano

- Isabel García
- veterinaria e instructora de cuidado de animales
- 23 años
- argentina

- Bill Washington
- instructor de reciclaje
- 21 años
- estadounidense

- Zé Carlos Olive
- instructor de lucha contra la contaminación
- 28 años
- brasileño

CLUB JUVENIL INTERNACIONAL "AMIGOS DE LA NATURALEZA"

Isabel García

Leonardo Cifuentes

Bill Washington

Zé Carlos Oliveira

para niños y niñas de 8 a 15 años

Escucha.

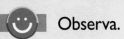

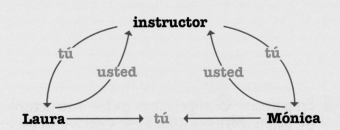

:) Observa.

instructor

tú   tú

usted   usted

Laura ——→ tú ←—— Mónica

TÚ	niños y jóvenes, amigos y familiares
USTED	personas mayores; desconocidos

1. :) ¿A quién llamas de tú y a quién de usted?

TÚ	USTED
eres	es
estás	está
vienes	viene
tu casa	su casa
a ti	a usted
te llamas	se llama
te gusta	le gusta

2. :) Cambia de TÚ a USTED.

a) ¿Cuál es tu dirección?
b) ¿Tienes hambre?
c) Te llamas Isabel, ¿no?
d) ¿A ti te gusta el cine?
e) ¿Cómo estás?
f) Lo siento, no puedes mascar chicle aquí.

¿tú? ¿usted?

3. En parejas. 😊 elige a uno de los instructores/as del club y hace el papel de él/ella. 😊 hace preguntas a 😊 como los niños a Leonardo.

4. Relaciona dibujos y palabras.

①

④

⑥

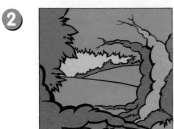
②

⑤

⑦

b) la contaminación

d) la música

③

g) la tienda de campaña

c) la granja

⑧

h) la naturaleza

e) el teatro

f) el cuidado de animales

a) el reciclaje

Pronunciación y Ortografía

Escucha y repite. Completa las palabras. Las letras que faltan son: "j" y "g".

_uvenil	gran_a	recicla_e	_óvenes	pare_a	ar_entino
_aponés	persona_e	extran_ero	traba_o	Vir_inia	psicolo_ía

Lección dos

Soy mexicana

Observa y escucha.

¿ERES DE MÉXICO?

¿ESTUDIAS O TRABAJAS?

¿EN QUÉ TRABAJAS?

SÍ, SOY MEXICANA. SOY DE VERACRUZ.

TRABAJO.

SOY POLICÍA.

¡EN MARCHA!

1.

En parejas. Con las nacionalidades de las listas y los nombres de países de abajo, formamos diálogos como el del ejemplo anterior.

chico	chica	los dos
mexicano	mexicana	canadiense
colombiano	colombiana	estadounidense
venezolano	venezolana	marroquí
argentino	argentina	israelí
italiano	italiana	
alemán	alemana	
japonés	japonesa	
francés	francesa	
español	española	

países

Alemania · Argentina · Canadá · Colombia España · Estados Unidos · Francia · Israel · Italia Japón · Marruecos · México · Venezuela

13

 **2.** ¿Qué personajes extranjeros conoces? Di su nombre, ocupación y nacionalidad.

> *Alessandro del Piero es un futbolista italiano.*
> *Xuxa es una cantante brasileña.*

Observa.

¿Estudias o trabajas?	Soy estudiante/empleado/a de un banco.
¿Cuál es tu profesión/trabajo?	Trabajo en un banco.
¿Qué estudias?	Estudio psicología.

3.  Escucha esta entrevista y completa el cuadro en tu cuaderno.

BUENAS TARDES Y BIENVENIDOS A SU PROGRAMA FAVORITO EN RADIO CARIBE. HOY VAMOS A CONOCER A LOS GANADORES DEL PRIMER PREMIO: UN VIAJE DE SIETE DÍAS AL CARIBE. VIENEN DE MUCHOS PAÍSES.

RADIO CARIBE

RADIO

NOMBRE	PROFESIÓN	NACIONALIDAD
		marroquí
Carlos Alberto		
	estudiante	
Virginia		

4. Estos bailes y estilos musicales son muy típicos. ¿De dónde son?

¡a bailar!

FLAMENCO

CORRIDO

TANGO

SAMBA

El corrido es de ....

El tango es de ....

El flamenco es de ....

La samba es de ....

El patio de mi casa CANCIÓN 1

El patio de mi casa es particular,
cuando llueve, se moja como los demás.
Agáchate y vuélvete a agachar,
que los agachaditos no saben bailar.

h, i, j, k, l, m, n, a,
que si tú no me quieres
otro amante me querrá.

Chocolate, molinillo, corre, corre,
que te pillo.
A estirar, a estirar,
que el demonio va a pasar.

CANCIÓN 2

El nombre de María

El nombre de María,
que cinco letras tiene:
la m, la a, la r, la i, la a,
MA - RÍ - A.

María CANCIÓN 3

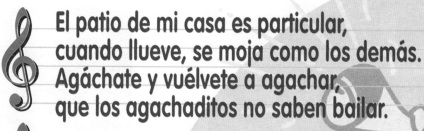

Un, dos, tres,
un pasito pa'lante, María
un, dos, tres,
un pasito pa'trás.

El porompompero CANCIÓN 4

Poromponpón,
porompón, porompompero, peró,
porompón, porompampero, peró,
porompón, porompompón.

Veo, veo CANCIÓN 5

Veo, veo.
¿Qué ves?
Una cosita.
¿Y qué cosita es?
Empieza con la a.
¿Qué será, qué será, qué será?
ALEFANTE.
No, no, no, eso no, no, no, eso no, no, no, no es así. (bis)

Empieza con la e.
¿Qué seré, qué seré, qué seré?
EYUNTAMIENTO.
No, no, no, eso no, no, no, eso no, no, no, no es así. (bis)

Empieza con la i.
¿Qué serí, qué serí, qué serí?
INVIDIA.
No, no, no, eso no, no, no, eso no, no, no, no es así. (bis)

Empieza con la o.
¿Qué seró, qué seró, qué seró?
OSCUELA.
No, no, no, eso no, no, no, eso no, no, no, no es así. (bis)

Empieza con la u.
¿Qué serú, qué serú, qué serú?
UMBLIGO.
No, no, no, eso no, no, no, eso no, no, no, no es así. (bis)

Empieza con la f.
¿Qué seráf, qué seráf, qué seráf?
FINAL.

Sí, sí, sí, eso sí, sí, sí, eso sí, sí, sí es así.
Sí, sí, sí, eso sí, sí, sí, eso sí, sí, sí es así, llega el final.

NOTA: Las palabras correctas son:
ELEFANTE, AYUNTAMIENTO, ENVIDIA, ESCUELA, OMBLIGO y FINAL.

Lección uno

¿Qué día es hoy?

  Escucha.

¡Felicidades!

Relaciona.

a OTOÑO	**b** VERANO	**c** INVIERNO	**d** PRIMAVERA

Corrige las frases falsas.

- *Hoy es el cumpleaños de Mauricio.*
- *No, no es su cumpleaños,* es su santo.

V	F
	X

a) Hoy es 22 de octubre.
b) Hoy empieza el verano.
c) Hoy acaba el invierno.
d) Todos los niños felicitan a la profesora.

V	F

¡EN MARCHA!

1. El cuestionario de las fechas.
En grupos, contestamos a todas estas preguntas en nuestros cuadernos. El primer grupo en terminar gana.

CUESTIONARIO DE FECHAS

¿Qué día es hoy?

¿Se celebran los "santos", o fiestas relacionadas con los nombres, en tu país?   SÍ ☐   NO ☐

¿Sabes qué santo es hoy?

¿Cuándo se celebran estas fiestas en tu país?
Carnaval

Fiestas religiosas: Navidad, Semana Santa, Ramadán, Yom Kippur, etc.

La Fiesta Nacional, la fiesta de la región o ciudad.

Semana Santa en Sevilla (España)

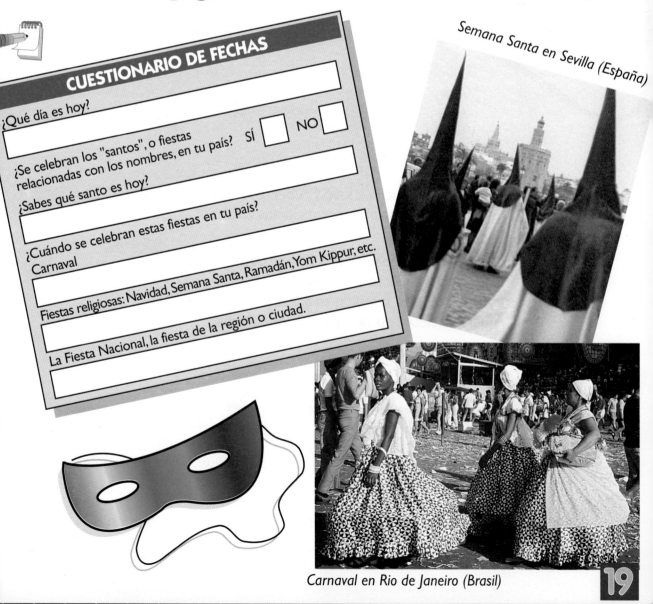

Carnaval en Rio de Janeiro (Brasil)

2. EL JUEGO DE LAS FECHAS

En grupos de 4.

😊 piensa en una fecha cualquiera y la escribe en un papel. Los otros tres jugadores deben adivinar la fecha.

😊,😊,😊, por turno, dicen fechas.

😊 responde sólo con "antes" o "después", hasta que alguien adivina la fecha correcta.

Ese jugador gana un punto.

😊 El ocho de febrero	😊 Después
😊 El uno de agosto	😊 Antes
😊 El dos de marzo	😊 Después
...	...
😊 El catorce de mayo	😊 ¡Exacto!

Se juegan 4 rondas. En cada ronda se cambian los papeles y un jugador distinto piensa en una fecha. Al final de las cuatro rondas gana el jugador que más puntos tiene.

3.

Escucha a José y Alberto hablando de "santos". Di si estas afirmaciones son ciertas o falsas.

	V	F
a) La fiesta de San José es el 18 de marzo.		
b) José invita a Alberto a su fiesta.		
c) El padre de José también se llama José.		
d) Alberto celebra su santo y su cumpleaños.		

Pronunciación y Ortografía

 Lee estas palabras. Después escucha y repite. Comprueba si las pronuncias bien.

catorce	Mauricio	felicidades	gracias	atención	cierto
empieza	celebran	relacionadas	nacional	baloncesto	cinco

Después de clase

😊 Observa.

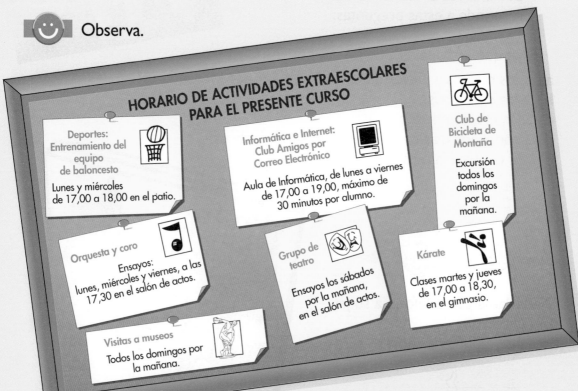

HORARIO DE ACTIVIDADES EXTRAESCOLARES PARA EL PRESENTE CURSO

Deportes:
Entrenamiento del equipo de baloncesto

Lunes y miércoles de 17,00 a 18,00 en el patio.

Informática e Internet:
Club Amigos por Correo Electrónico

Aula de Informática, de lunes a viernes de 17,00 a 19,00, máximo de 30 minutos por alumno.

Club de Bicicleta de Montaña

Excursión todos los domingos por la mañana.

Orquesta y coro
Ensayos: lunes, miércoles y viernes, a las 17,30 en el salón de actos.

Grupo de teatro
Ensayos los sábados por la mañana, en el salón de actos.

Kárate
Clases martes y jueves de 17,00 a 18,30, en el gimnasio.

Visitas a museos
Todos los domingos por la mañana.

😊 Escucha.

MIRA, LOS LUNES Y MIÉRCOLES HAY BALONCESTO A LAS CINCO. ¿NOS APUNTAMOS?

NO, NO PUEDO. LOS LUNES Y MIÉRCOLES TENGO ENSAYO CON LA ORQUESTA.

¿HAY VISITAS A MUSEOS?

SÍ. TODOS LOS DOMINGOS. ¿NOS APUNTAMOS?

¡SÍ, CLARO!

Observa.

Hay baloncesto.
¿Hay visitas ...?

21

 **1.**

Lee una vez el tablón de anuncios y responde a estas preguntas:

¿A qué actividades puedes apuntarte...?

a) ... los martes y jueves de cinco a seis y media? ¿Dónde es?
b) ... los domingos?
c) ... en el salón de actos?
d) ... todos los días de lunes a viernes? ¿Dónde es?
e) ... si te gusta la música?

2.

Ojeda llama por teléfono a su jefe para informar.
Escucha y apunta las horas.

¡Profesor vigilado!
La policía sospecha del excéntrico profesor Vil y el detective Ojeda lo vigila día y noche.

Desayuna a las ...

Pasea al perro de ... a ...

Vil se levanta a las ...

Se acuesta a las ...

Trabaja de ... a ...

3.  EL HORARIO DE CLASES

Dibujamos un cuadro de horario en blanco en nuestro cuaderno.
En parejas, cada uno/a mira su ficha de datos, A o B.
Pregunta a tu compañero/a y rellena el horario.

	LUNES	MARTES	MIÉRCOLES	JUEVES	VIERNES
09,00					
10,00	R E C R E O				
11,00			Trabajos manuales		
11,30					

Las asignaturas son:

música

español

matemáticas

trabajos manuales

informática

naturaleza

gimnasia

lengua

RECREO

😊 ¿Cuándo hay naturaleza?
😊 Hay naturaleza el lunes y el miércoles a las diez.

😊 ¿Qué hay el lunes a las nueve?
😊 El lunes a las nueve hay lengua.

FICHA DE DATOS A

Jueves a las 9,00: música.
Naturaleza: los lunes y miércoles a las diez.
Matemáticas: lunes, martes y jueves a las 11,30.
El martes a las nueve hay español.

FICHA DE DATOS B

Viernes a las 10,00: informática.
Lengua: lunes, miércoles y viernes a las nueve.
Gimnasia: martes y jueves a las diez.
El viernes a las once y media hay español.

Carlos está de visita en la estancia de sus tíos, Alberto y Sara, en la región de Misiones.

ARGENTINA

ANDÁ, CARLITOS, DEJÁ EL CABALLO QUE CORRA, JA, JA, JA.

ESTO ES MUY DIFÍCIL.

Por la tarde, Carlos sale a cabalgar con su prima Natalia.

¡SOCORRO!

¿ESTÁS BIEN? TENÉS SUERTE. PARECE QUE TE MIRÓ UN AGUARÁ.

¿QUÉ ES UN AGUARÁ?

EL AGUARÁ ES UN ANIMAL. ESTÁ EN PELIGRO DE EXTINCIÓN. LA GENTE CREE QUE ES MÁGICO. PREGÚNTALE A MI AMIGA NAYUÁ.

Esa misma tarde, ya en casa de sus tíos, Carlos habla con Nayuá.

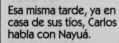

¡HOLA, NAYUÁ! OYE, ¿TÚ SABES QUÉ ES ESO DE LA MAGIA DEL AGUARÁ?

PUES DICEN QUE PUEDE HIPNOTIZAR Y QUE DA SUERTE..., PERO ES MUY DIFÍCIL VERLO. YA HAY MUY POCOS.

¡CLARO! ESTÁ EN PELIGRO DE EXTINCIÓN... TENGO QUE HABLAR CON LOS TROTAMUNDOS.

LAS VACACIONES DE CARLOS

Carlos llama a Mauro por teléfono.

SÍ, UN AGUARÁ, COMO UN ZORRO, ¿NO?... SÍ... ¿CÓMO, MÁGICO?... COMPRENDO. HABLARÉ CON JULIA Y PALOMA... VALE, PERO TEN CUIDADO. ADIÓS, CARLOS.

¡UN MENSAJE DE MAURO!

EL AGUARÁ ESTÁ EN PELIGRO DE EXTINCIÓN. ES UN ANIMAL ESPECIAL. TENEMOS QUE HACER ALGO.

¡QUÉ BIEN! OTRA MISIÓN PARA LOS TROTAMUNDOS.

Los Trotamundos

ES HORA DE IR A ARGENTINA, LOS TROTAMUNDOS VAN A SALVAR AL AGUARÁ!

Mientras tanto...

SEÑOR MAX, LLAMA EL SEÑOR MENOX DESDE AMÉRICA.

¿SÍ?... SÍ... HUMM... ¿OTRO ANIMAL? TENGO MUCHOS YA, NO SÉ...

Muy lejos de allí, en plena selva...

SÍ... ES UN AGUARÁ, TIENE PODERES MÁGICOS. SÓLO HAY EN ARGENTINA, BRASIL Y PARAGUAY...

..SÍ, CLARO, ... ESTÁ EN PELIGRO DE EXTINCIÓN, HAY MUY POCOS.

QUIERO UN AGUARÁ. EL PRECIO NO IMPORTA. VAMOS A LA REGIÓN DE MISIONES AHORA MISMO.

NOS VEMOS EN EL EPISODIO 2

Estos somos nosotros

Escucha.

VENEZUELA

HOLA, ME LLAMO MARTA Y ESTE ES PEDRO. SOMOS HERMANOS. SOMOS VENEZOLANOS. VIVIMOS EN CARACAS, EN LA AVENIDA LIBERTADOR, NÚMERO 87. NUESTRA CASA ES GRANDE. TIENE SEIS DORMITORIOS, Y UN SALÓN MUY GRANDE. TIENE UN JARDÍN MUY BONITO. NOSOTROS JUGAMOS EN EL JARDÍN TODOS LOS DÍAS.

NUESTROS PADRES SE LLAMAN MIGUEL Y ROSA. MAMÁ ES PROFESORA. TRABAJA EN LA UNIVERSIDAD. PAPÁ ES EMPRESARIO. TIENE UNA TIENDA DE AUTOMÓVILES. LOS FINES DE SEMANA VAMOS A CASA DE NUESTROS ABUELOS, EN EL CAMPO. NUESTROS ABUELOS TIENEN UNA FINCA MUY GRANDE. TIENEN CABALLOS. A MARTA Y A MÍ NOS GUSTA MUCHO MONTAR A CABALLO.

Observa.

YO	NOSOTROS	ELLOS/ELLAS
soy	somos	**Nuestros abuelos tienen**
vivo	vivimos	**Nuestros padres se llaman**
juego	jugamos	
voy	vamos	
me gusta	nos gusta	

Responde en tu cuaderno.

a) ¿De dónde son Marta y Pedro?
b) ¿Qué hacen en el jardín todos los días?
c) ¿Cómo se llama su madre?
d) ¿Quién tiene una tienda de automóviles?
e) ¿Cuándo van a casa de sus abuelos?
f) ¿Qué les gusta a Marta y a Pedro?

 ¡EN MARCHA!

1. Estas ilustraciones están relacionadas con Marta y Pedro. Descríbelas.

①

N° 2: Esta es la finca de los abuelos, en el campo. Es muy grande.

④

②

⑤

③

2. ¿Qué dicen Los Trotamundos? Empleando los verbos del planeta, completa las frases.

.... Los Trotamundos.
.... en países diferentes,
pero .... amigos.
.... la aventura y conocer
chicos y chicas de otros países.
.... juntos por todo el mundo
ayudando a nuestros amigos.

somos   vivimos   vamos   nos gusta   somos

3. Observa.

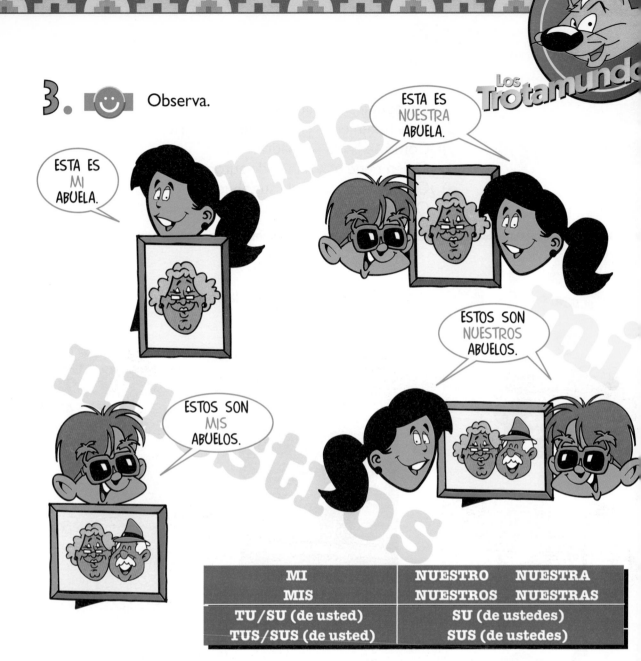

MI	NUESTRO	NUESTRA
MIS	NUESTROS	NUESTRAS
TU/SU (de usted)	SU (de ustedes)	
TUS/SUS (de usted)	SUS (de ustedes)	

4.  En grupos. Cada grupo son hermanos/as y hacen dibujos de su casa, mascota, padres, etc.
Luego un grupo explica sus dibujos al otro grupo y este reacciona.

- Este es nuestro perro. Se llama Oliver. Es muy gracioso.
- ¡Qué bonito/qué simpático/qué pequeño!

ÉL	simpático
ELLOS	simpáticos

ELLA	simpática
ELLAS	simpáticas

28

Lección dos

Rasgos de familia

😊 Observa.

😊 Escucha y responde.

> ESTA ES MI FAMILIA: MIS ABUELOS, MIS TÍOS Y TÍAS, MIS PADRES, MIS PRIMOS Y PRIMAS Y MI HERMANO. MIRA MI ÁRBOL GENEALÓGICO DEBAJO. ¿PUEDES ADIVINAR CÓMO SE LLAMA CADA UNO? EL NÚMERO CATORCE (14) SOY YO, MANUEL MIRANDA MORENO.

Manuel Moreno	**Carmen** **Agudo**
mi abuelo	mi abuela

Luis **Miranda** **López**	**Carmen** Moreno **Agudo**	**Pablo** Moreno **Agudo**	**Lola** **Delgado** **Pérez**	**Juan** **Oreja** **Gómez**	**Inés** Moreno **Agudo**
mi padre	mi madre	mi tío	mi tía	mi tío	mi tía

Luis **Miranda** Moreno	**Manuel** **Miranda** Moreno · 14	**Iván** Moreno **Delgado**	**Inés** **Oreja** Moreno	**Juan** **Oreja** Moreno	**Beatriz** **Oreja** Moreno
mi hermano	YO	mi primo	mi prima	mi primo	mi prima

¡EN MARCHA!

1. En España e Hispanoamérica tenemos dos apellidos. ¿Cuáles? ¿En qué orden están?

Primer apellido
padre: **MARTÍN**

Primer apellido
madre: **PALACIO**

Nombre hija:
Julia
MARTÍN
PALACIO

2. Padres e hijos se parecen, claro. Fíjate.
Todos los Miranda (de primero o de segundo apellido) tienen algo en común, igual que todos los Oreja o los Delgado o los Moreno. ¿Qué tienen parecido?

Observa.

Todos los Miranda tienen *los ojos grandes.*

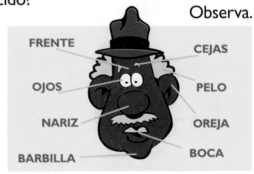

FRENTE
CEJAS
OJOS
PELO
NARIZ
OREJA
BARBILLA
BOCA

3. Escucha y contesta a estas preguntas.

a) Cuando le preguntan si tiene muchos primos, ¿qué contesta Manuel?
b) ¿Quiénes son Inés y Beatriz?
c) ¿Quién tiene quince años?

4. Mira los dibujos: Luis y Manuel presentan a sus familiares. ¿Qué dicen?

ESTA ES
....
INÉS.

ESTOS SON
....
JUAN Y BEATRIZ.

5. ¿Cómo son los miembros de tu familia?
Habla con tu compañero/a.

6.  **EL JUEGO DE LOS FAMILIARES**

En grupos de tres. Cada grupo son hermanos/hermanas.

> 😊 *¿Tienen a nuestra prima Cristina?*
>
> 😊 *Eeeh... ¡Sí, aquí está su prima! ¿Tienen a nuestra prima Teresa?*
>
> 😊 *¿Cómo es?*
>
> 😊 *Tiene el pelo rubio y los ojos verdes.*
>
> 😊 *Sí, aquí está.*

Pronunciación y Ortografía

  Lee estas palabras en voz alta. Escríbelas en tu cuaderno dividiéndolas en sílabas y subrayando la sílaba acentuada. Escucha, repite y comprueba lo que escribiste.

venezolanos   **dormitorios**   **Hispanoamérica**   **automóviles**

Ej: ve - ne - zo - la -nos

                              empresario   **universidad**

Gente
profesiones

- [ ] abogado/a (el/la)
- [ ] arquitecto/a (el/la)
- [ ] bombero/a (el/la)
- [ ] conductor/-a (el/la) de ambulancia
- [ ] dentista (el/la)
- [ ] detective (el/la)
- [ ] médico/a (el/la)
- [ ] motorista (el/la)
- [ ] peluquero/a (el/la)
- [ ] policía (el/la)
- [ ] taxista (el/la)
- [ ] vendedor/-a (el/la) de helados
- [ ] veterinario/a (el/la)

Cosas
lugares, tiendas y objetos de la ciudad.

- [ ] acera (la)
- [ ] ambulancia (la)
- [ ] ayuntamiento (el)
- [ ] banco (el) *(para sentarse)*
- [ ] banco (el) *(lugar)*
- [ ] boca de metro (la)
- [ ] cabina telefónica (la)
- [ ] café (el)
- [ ] calle (la)
- [ ] comisaría (la)
- [ ] droguería (la)
- [ ] escalera (la)
- [ ] escaparate (el)
- [ ] farmacia (la)
- [ ] farola (la)

ABRAS 1. EN LA CIUDAD

- ☐ panadería (la)
- ☐ papelera (la)
- ☐ papelería (la)
- ☐ parada de autobús (la)
- ☐ paso de cebra (el)
- ☐ peluquería (la)
- ☐ reloj (el)
- ☐ restaurante (el)
- ☐ semáforo (el)
- ☐ señal de tráfico (la)
- ☐ supermercado (el)
- ☐ taxi (el)
- ☐ teatro (el)
- ☐ terraza (la)

1 Observa despacio la ilustración.

2 Relaciona estas profesiones con su número.

vendedor de helados
policía
bombero
dentista

3 Busca otros cinco nombres de profesiones y di los números correspondientes.

4 Busca cinco objetos de "mobiliario urbano" -cosas que encuentras en las calles de las ciudades- y di los números.

5 Ahora busca cinco lugares o tiendas y di también su número.

6 Y por último, ¿dónde están Los Trotamundos? Di qué número tienen y describe el lugar donde están o qué están haciendo.

- ☐ juguetería (la)
- ☐ hospital (el)
- ☐ librería (la)
- ☐ moto (la)

Lección uno

¡Anda, por favor!

 Escucha.

PAPÁ, ¿PUEDO IR A LA EXCURSIÓN DEL COLEGIO?

BUENO, PEPE, VALE, PERO DEBES TENER CUIDADO.

MAMÁ, ¿ME DEJAS IR A LA EXCURSIÓN DEL COLEGIO?

NO, CARMEN. ESTÁS RESFRIADA.

ANDA, POR FAVOR, MAMÁ. VAN A IR TODAS MIS AMIGAS.

NO, LO SIENTO, NO PUEDES IR. ESTÁS RESFRIADA. NO DEBES SALIR DE CASA.

 Contesta.

a) ¿A quién dejan ir a la excursión del colegio?
b) ¿A quién no dejan ir a la excursión del colegio? ¿Por qué?
c) ¿Y a ti? ¿Te dejan ir a las excursiones de tu colegio?

Pedir permiso	Conceder permiso
¿Puedo...? / ¿Me dejas...?	Bueno, vale, de acuerdo.
Insistir	**Denegar permiso**
Anda, por favor.	No, lo siento, no puedes.

Consejos: Debes tener cuidado. / No debes salir de casa.

 **1.**

Une las preguntas con las dos respuestas posibles.

De acuerdo, pero...
1) ... ten cuidado.
2) ... no debes volver tarde.
3) ... no debes hacer ruido.
4) ... luego debes estudiar.
5) ... lávala antes.

¿Puedo...		
... ir a la fiesta de los primos?	2	d)
... invitar a Mónica a cenar?		
... pasar?		
... ponerme la camiseta nueva?		
... hacer el cursillo de vela?		

No, lo siento...
a) ... está sucia.
b) ... es muy caro.
c) ... espera un momento.
d) ... es muy tarde.
e) ... ya tenemos invitados.

2.  En grupos. Vamos a hablar de cosas que nos dejan o no nos dejan hacer nuestros padres.

¿Te dejan...

- ¿Te dejan ir al cine con los amigos?
  Sí, siempre.
  No, nunca.
  Depende./Solamente los domingos./
  Por la noche no me dejan.

... comprarte tú la ropa?
... llevar las llaves de casa?
... ir por la calle en bici?
... acostarte tarde?
... ir en metro?

Añade tú otras dos preguntas.

_____

_____

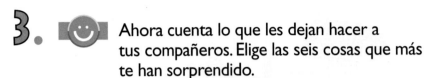

3. Ahora cuenta lo que les dejan hacer a tus compañeros. Elige las seis cosas que más te han sorprendido.

"A Rebeca no la dejan acostarse muy tarde."
"A Tomy le dejan ir en autobús."

1. _____
2. _____
3. _____
4. _____
5. _____
6. _____

4.

¿Sabes proteger la naturaleza? Señala en los cuadros DEBES o NO DEBES.

DEBES NO DEBES

DEBES   **NO DEBES**

1. ☐ ☐
2. ☐ ☐
3. ☐ ☐
4. ☐ ☐
5. ☐ ☐
6. ☐ ☐
7. ☐ ☐
8. ☐ ☐
9. ☐ ☐
10. ☐ ☐

1. llevar ropa y calzado adecuado.
2. dejar fuegos encendidos.
3. encender fuego sólo para calentarte.
4. hervir el agua del río antes de beberla.
5. lavar platos o ropa con detergente en ríos y lagos.
6. llevar casco para escalar o montar en bici.
7. cortar plantas o flores.
8. molestar a los animales.
9. recoger la basura y llevártela.
10. molestar con música alta o ruidos.

Pronunciación y Ortografía

 ● Escucha y repite: apellido   llamar   cursillo

● Todas estas palabras menos UNA son esdrújulas y deben llevar tilde. Escríbelas correctamente en tu cuaderno.

maquina	ordenador	Monica
camara	musica	lavala

Lección dos

¿Por qué estás enfadada?

Escucha.

CARMEN, ¿QUÉ TE PASA?

ESTOY ENFADADA.

¿Y POR QUÉ ESTÁS ENFADADA?

PORQUE MIS PADRES NO ME DEJAN IR A LA EXCURSIÓN DEL COLEGIO.

Observa:

¿Por qué...?

¿Por qué estás enfadada?

Porque...

Porque no me dejan ir a ...

¡EN MARCHA!

1.

¿Qué dicen estos chicos? Relaciona los comienzos y las continuaciones de las frases.

EVA

Estoy tranquila...

CLARA

Estoy contenta...

TERESA

Estoy nerviosa...

FELIPE

Estoy triste...

ANTONIO

Estoy aburrido/a...

JUAN

Estoy enfadado...

a) ... porque no puedo ir a tu fiesta.
b) ... porque soy campeón/-a de ajedrez.
c) ... porque no tengo problemas.
d) ... porque mañana tengo un examen muy difícil.
e) ... porque no quieren jugar conmigo.
f) ... porque este libro no es interesante.

2.

Ahora en parejas:

 pregunta a . es uno de los chicos de los dibujos.

> ☺ ¿Cómo estás, Antonio?
>
> ☺ Estoy aburrido.
>
> ☺ ¿Por qué?
>
> ☺ Porque este libro no es interesante.

3. ☺ Observa.

> ¿EVA, TE GUSTAN LOS CRUCIGRAMAS?
>
> NO, NO ME GUSTAN.
>
> ¿POR QUÉ NO?
>
> PORQUE SON MUY DIFÍCILES.

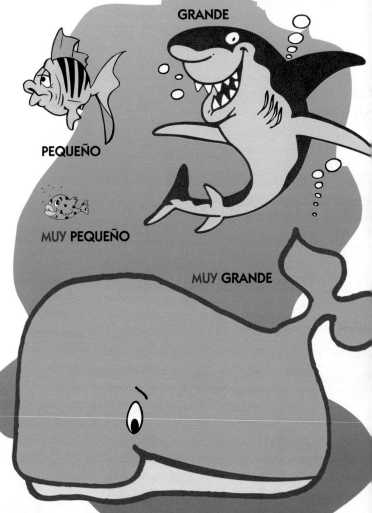

GRANDE

PEQUEÑO

MUY PEQUEÑO

MUY GRANDE

4. ☺ 📝

Relaciona según tus gustos.

Me gusta/No me gusta (mucho/nada)...	porque es (muy) ...
bailar	divertido
leer poesía	bonito
patinar	aburrido

Me gustan/No me gustan (mucho/nada)...	porque son (muy) ...
los pueblos pequeños	bonitos/as
las ciudades grandes	ruidosos/as
las matemáticas	aburridos/as

5.

Hablamos de nuestros gustos.

El programa de radio

En grupos. Vamos a montar un programa de Radio. Elegimos entre 1, 2, 3, 4. Por ejemplo, elegimos 1, Consultorio juvenil.

Cada grupo prepara varias llamadas con problemas. Algunos ejemplos:

- Me gusta un chico/una chica, pero él/ella no lo sabe.
- Mis padres no me dejan hacer nada.
- Estoy muy delgado/a.
- No me gusta/-n el colegio/mis compañeros/los profesores/etc.
- A mis amigos/as sólo les gustan las motos/etc., pero a mí no me gustan...

Por turnos se cuentan los problemas a los demás grupos. Tienen que dar soluciones, y el grupo tiene que decidir qué solución le gusta más.

También hay premios a las consultas más divertidas, a las mejor hechas, etc.

Ejemplo de 2 LLAMADAS DE OYENTES

BIENVENIDOS. ESTE ES TU PROGRAMA DE RADIO. RECIBIMOS AHORA LLAMADAS DE NUESTROS JÓVENES OYENTES... BUENAS TARDES, ¿CÓMO TE LLAMAS?

FÉLIX.

HOLA, FÉLIX. ¿DE DÓNDE ERES?

SOY DE BARCELONA.

¿Y CUÁNTOS AÑOS TIENES?

DOCE AÑOS.

BUENO, FÉLIX, CUÉNTAME ¿QUÉ TE PASA?

...

¿Y POR QUÉ...?

PORQUE...

... ¿QUÉ PUEDO HACER?

ESCUCHA, FÉLIX...

VAMOS, CARLOS, MIS PADRES NOS DEJAN MONTAR A CABALLO.

BUENO, PERO DEBEMOS TENER CUIDADO.

VAMOS A REGRESAR, CARLOS. ¡UNA CARRERA HASTA LA CASA!

SÍ, YA ES MUY TARDE.

NATALIA, ESPERA.

Cuando de repente...

¿EH?, ¡QUIETO, TRANQUILO, SOOO!

¡SOCORROOOO!

Natalia se da cuenta de que Carlos no la sigue.

¡CARLOOOS, ¿DÓNDE ESTÁS?! ¡RESPONDE, CARLOS, POR FAVOOOR!

Natalia no puede ver a Carlos. Natalia está preocupada.

CARLOOOS, ¡CONTESTA!

Más tarde, en la estancia de los padres de Natalia.

¡QUÉ DESGRACIA! RÁPIDO, AVISA A NAYUÁ. TENEMOS QUE ENCONTRAR A CARLOS PRONTO.

HOLA, SOMOS AMIGOS DE CARLOS.

VIENEN EN EL MOMENTO JUSTO. NO SABEMOS DÓNDE ESTÁ CARLOS. VAMOS A BUSCARLO.

Mientras tanto...

¡Carlos no está solo!

MMM... ¡UN HUMANO HERIDO!

NOS VEMOS EN EL EPISODIO 3

Vamos a poner la mesa

Escucha.

BUENO, NIÑOS, VAMOS A PONER LA MESA. ALBERTO, TÚ PONES LOS PLATOS Y LOS VASOS. ANA, TÚ PONES LOS CUBIERTOS. Y TÚ, FERNANDO, LLEVAS EL AGUA Y EL PAN. ¿DE ACUERDO?

SÍ, HAY SOPA DE PRIMERO.

VALE, DE ACUERDO.

¿PONGO CUCHARAS, MAMÁ?

¿HAY SOPA? ¡BIEN!

① mantel ③ plato ⑤ cuchara ⑦ vaso
② tenedor ④ cuchillo ⑥ servilleta

Relaciona las tres columnas.

Alberto

Ana

Fernando

PONE
LLEVA

el agua
los cuchillos
las cucharas
los platos
el pan
los tenedores
los vasos

| Vamos a poner la mesa | ¿de acuerdo? |
| Tú pones los platos | ¿vale? |

De acuerdo.
Vale.

¿Pongo cucharas?

¡EN MARCHA!

1. En equipos. Vamos a preparar una merienda en el campo.

CHOCOLATE

SERVILLETAS

VASOS

NARANJA

CUBIERTOS

BOTES DE REFRESCO

TOMATE

PLATOS

BOCADILLO

SANDWICH

PLÁTANOS

PERA

Tenemos que ponernos de acuerdo en quién trae cada cosa para la merienda. Hablamos y apuntamos lo que nos toca traer a cada uno.

> 😊 *Yo traigo los vasos de plástico, ¿vale?*
>
> 😊 *Vale. Y yo, ¿traigo tomates?*
>
> 😊 *No, no me gustan los tomates. Tú traes una tortilla, ¿de acuerdo?*
>
> 😊 *Bueno, de acuerdo.*

Yo traigo	Nosotros traemos
Tú traes	Ustedes/Ellos/Ellas traen
Él/Ella trae	

43

2.

En el campamento **RONCAL** hay bar y cantina.

En el bar puedes hacer una comida rápida. En la cantina puedes tomar un menú.

Elegimos en parejas entre A (cantina) o B (bar) y leemos la carta.

😊 es el/la cliente/-a y tiene que pedir la comida sin mirar la carta.

😊 es el/la camarero/a.

Luego cambiamos los papeles.

B

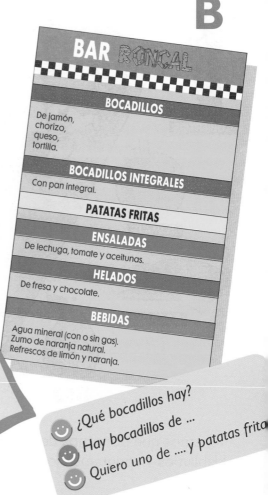

A

😊 ¿Qué hay de primer plato?
😊 Hay ..., ... y ....
😊 Bueno, voy a tomar ... .
😊 ¿Hay helados de postre?
😊 No, no hay helados.
😊 ¿Y hay ... ?

BAR RONCAL

BOCADILLOS
De jamón, chorizo, queso, tortilla.

BOCADILLOS INTEGRALES
Con pan integral.

PATATAS FRITAS

ENSALADAS
De lechuga, tomate y aceitunas.

HELADOS
De fresa y chocolate.

BEBIDAS
Agua mineral (con o sin gas).
Zumo de naranja natural.
Refrescos de limón y naranja.

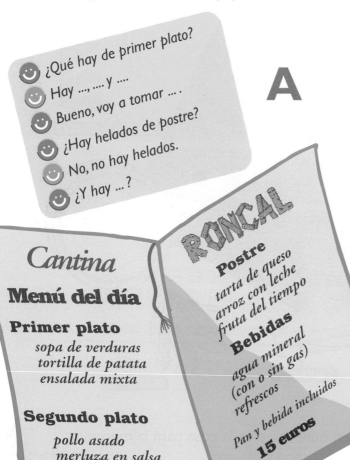

Cantina

Menú del día

Primer plato
sopa de verduras
tortilla de patata
ensalada mixta

Segundo plato
pollo asado
merluza en salsa
filete de ternera

RONCAL

Postre
tarta de queso
arroz con leche
fruta del tiempo

Bebidas
agua mineral
(con o sin gas)
refrescos

Pan y bebida incluidos

15 euros

😊 ¿Qué bocadillos hay?
😊 Hay bocadillos de ...
😊 Quiero uno de .... y patatas frita

Pronunciación y Ortografía

Mira los ejemplos y completa la regla de ortografía.

| autobús | jamón | papá | café | aquí | dejó | Perú |
| fácil | difícil | Félix | casas | casa | casan |

Deben llevar tilde las palabras agudas terminadas en cualquier _____ o en las consonantes _____ y _____ .

También deben llevar tilde las palabras llanas que terminen en cualquier _____ , excepto la _____ y la _____ .

Lección dos

Yo también

Escucha.

ALBERTO, ¿QUIERES SOPA O ENSALADA?

¿Y TÚ, FERNANDO?

¿Y TÚ, ANA?

¿QUIÉN QUIERE LECHE PARA BEBER?

TOMA LA LECHE, FERNANDO.

YO SOPA, MAMÁ.

YO PREFIERO ENSALADA,

YO TAMBIÉN. LA ENSALADA ME GUSTA MÁS QUE LA SOPA..

YO NO QUIERO LECHE.

YO TAMPOCO. YO QUIERO AGUA.

YO SÍ.

GRACIAS.

 Contesta.

	Alberto	Ana	Fernando
¿Quién quiere ensalada?			
¿Quién prefiere sopa?			
¿Quién quiere agua?			
¿Quién quiere leche?			

1. Rellena los huecos en este diálogo con palabras o expresiones del recuadro.

gracias - por favor - prefiero - toma - quieres - hay - que

María: Papá, ¿qué _____ de postre?

padre: Pues helado y fruta. ¿_____ un helado?

María: No, _____ fruta. La fruta me gusta más _____ el helado.

padre: Vale, _____, aquí tienes una manzana.

María: _____, papá.

madre: Yo quiero helado. Cariño, ¿me das un helado, _____?

2. Observa.

Alberto: Yo quiero agua.	+		Alberto: Yo no quiero leche.	—
Ana: Yo, también (quiero).	+		Ana: Yo, tampoco (quiero).	—
Fernando: Yo no (quiero).	—		Fernando: Yo sí (quiero).	+

Y tú, ¿qué dices? ¿Tú también o tú tampoco?

3.  Marca los gustos de nuestros amigos:
"+" significa "sí quiero".
"-" significa "no quiero".

	Alberto	Ana	Fernando
Sopa			
Leche			

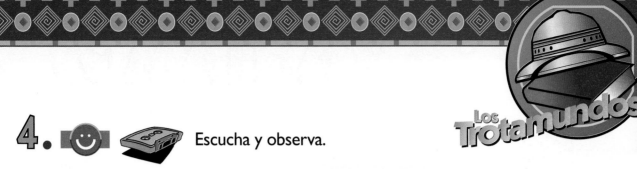

4. 😊 Escucha y observa.

A MÍ ME GUSTAN LAS MATEMÁTICAS.

A MÍ TAMBIÉN.

A MÍ NO.

A MÍ NO ME GUSTA LA HISTORIA.

A MÍ TAMPOCO.

A MÍ SÍ.

El Cid

gusta/-n

5. En grupos hablamos sobre nuestros gustos.

asignaturas

comidas

animales

😊 ¿Te gusta el español?
😊 A mí sí.
😊 A mí no.

deportes

música

Dibujamos un cuadro parecido al de la actividad 3 con los resultados.

6. Ahora uno de cada grupo explica a la clase los resultados de la encuesta.

A Antonio le gustan las matemáticas. A Beatriz también
(le gustan), pero a Celia no (le gustan).
A Celia no le gusta el baloncesto. A Antonio tampoco
(le gusta), pero a Beatriz sí (le gusta).
A Beatriz le gustan las matemáticas más que la lengua.

CANCIONES DE HISPANOAMÉRICA

Buenos días, América

Buenas.
Buenos días, América.
¿Cómo estás?, muy buenas.
(4 veces)

Buenos días, América,
buenos días, ¿cómo está usted
(1 vez estribillo anterior)

Barlovento

Barlovento, Barlovento,
tierra ardiente y del tambor.
Barlovento, Barlovento,
tierra ardiente y del tambor.
Al son del...
(bis) Tiquitá, quitá, tiquitá, quitá,
tiquitá, quitá...

Pájaro chogüí

Chogüi, chogüi, chogüi,chogüi,
qué lindo va, qué lindo es,
perdiéndose en el cielo guaraní.

Chogüi, chogüi, chogüi,chogüi,
qué lindo va, qué lindo es,
perdiéndose en el cielo azul turquí.

Guantanamera

Guantanamera, guajira guantanamera,
Guantanamera, guajira guantanamera

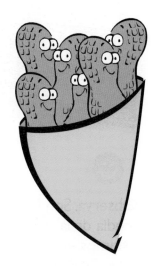
CANCIÓN 10

El manisero

Maní, maní.
Si te quieres por el pico divertir,
cómete un cucuruchito de maní.
¡Qué calentito y rico está!
Ya no se puede pedir más.

Manisero se va, manisero se va.

Dame de tu maní,
dame de tu maní,
que esta noche no voy a poder dormir
sin comerme un cucuruchito de maní.

Me voy, me voy ...

CANCIÓN 11

Caminito

Desde que se fue,
triste vivo yo,
caminito amigo,
yo también me voy.

Desde que se fue,
nunca más volvió,
seguiré sus pasos,
caminito, adiós.

Cielito lindo CANCIÓN 12

¡Ay, ay, ay, ay,
canta y no llores!
Porque cantando se alegran,
cielito lindo, los corazones.
(bis)

Calle del Pez, 14

Observa. Son las dos y media de la tarde. Estamos en la calle del Pez, número 14. En esta casa viven muchos amigos. Vamos a ver lo que están haciendo.

Observa los nombres de los pisos...

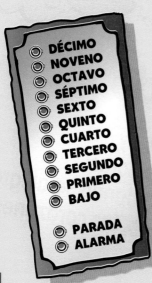

- ⊙ **DÉCIMO**
- ⊙ **NOVENO**
- ⊙ **OCTAVO**
- ⊙ **SÉPTIMO**
- ⊙ **SEXTO**
- ⊙ **QUINTO**
- ⊙ **CUARTO**
- ⊙ **TERCERO**
- ⊙ **SEGUNDO**
- ⊙ **PRIMERO**
- ⊙ **BAJO**

- ⊙ **PARADA**
- ⊙ **ALARMA**

... y lee los nombres de los buzones.

Josefina Castaño Campos
4º izquierda

Rubén Castillo
Luis Alfredo Manglada
Daniel Osorio
4º derecha

Iñaki Landáburu Arrese
ABOGADO
3º izquierda

Carlos Martínez Muñoz
Pilar Castro Valle
Amalia y José Mtnez. Castro
3º derecha

Clara Matesanz del Val
Roberto y Clara
Matesanz López
2º izquierda

C. Torner Boix
2º derecha

Dra. C. García
ODONTÓLOGA
1º izquierda

LOVISA
Locales y Viviendas, S. A.
Agencia Inmobiliaria
1º derecha

Escucha y responde.

a) ¿Qué está haciendo la enfermera?
b) ¿Quiénes viven encima de la doctora García?
c) ¿Qué estudia Clarita Matesanz?
d) ¿Quién vive al lado de la señora Matesanz?
e) ¿Qué está haciendo el señor Torner?
f) ¿Quiénes están comiendo?

¡EN MARCHA!

1. Mira bien el dibujo de la casa y los buzones.
Forma frases escogiendo las partes correctas
de cada columna. Añade el nombre al principio.

PROFESIÓN	PISO	Ahora...
1. abogado	1º dcha.	... está viendo la tele.
2. niños	3º izq.	... están cocinando y ensayando.
3. jubilada	3º dcha.	... están haciendo los deberes.
4. músicos	4º izq.	... está leyendo el periódico.
5. piloto	4º dcha.	... está fregando los platos.

1. *Don Iñaki Landáburu Arrese es abogado.
Vive en el tercero izquierda.
Ahora está fregando los platos.*

Observa.

cocinar · cocinando
fregar · fregando
ver · viendo
hacer · haciendo
leer · leyendo
recibir · recibiendo

Él/Ella **está comiendo.**
Ellos/Ellas **están comiendo.**

2. EL JUEGO DE LA MEMORIA

Memorizamos el dibujo de la casa y la información sobre los vecinos.
En equipos preparamos preguntas como estas:

*¿Qué está haciendo Don Claudio? (Está durmiendo la siesta.)
¿Quién está fregando los platos? (Iñaki. / Don Iñaki. / El señor Landáburu.)
¿Quiénes están haciendo los deberes? (Amalia y José. / Los niños del 3º dcha. /
Los hijos de los señores Martínez.)
¿En qué piso viven los Matesanz? (En el segundo izquierda.)
¿Quién vive en el segundo derecha? (Don Claudio Torner.)*

Los jugadores del equipo 😊 hacen una pregunta a los del 😊,
jugador por jugador. Si acierta el primer jugador, el equipo 😊
gana 3 puntos (acertar es responder correctamente). Si no
acierta, responde otro jugador del 😊. Si acierta, sólo gana 2 puntos.
Si no acierta, responde un tercer jugador, y si acierta, gana
1 punto el equipo. Si no acierta, el equipo no gana ningún punto.
Luego el equipo 😊 pregunta al 😊.

Lección dos

¿Cómo?

Escucha.

ENCIMA (DE)

¿DIGA?

¿CÓMO?

¿AMALIA? SOY ISABEL.

SOY ISABEL, TU AMIGA ISABEL.

NO OIGO. HABLA MÁS ALTO, POR FAVOR.

QUE SOY ISABEL. ¡¡I-S-A-B-E-L!!

¡AH, ISABEL! ¿CÓMO ESTÁS?

LOS MÚSICOS DEL CUARTO. VIVEN ENCIMA DE NOSOTROS Y ESTÁN ENSAYANDO.

BIEN. OYE ¿QUÉ PASA EN TU CASA? ¿QUÉ ES ESE RUIDO?

¡TOC! ¡TOC! ¡TOC!

AL LADO (DE)
A LA IZQUIERDA (DE)

AL LADO (DE)
A LA DERECHA (DE)

DEBAJO (DE)

Responde.

a) ¿Lo contrario de "encima"?
b) ¿Lo contrario de "a la izquierda"?
c) ¿Lo contrario de "debajo"?
d) ¿Lo contrario de "a la derecha"?
e) ¿Qué están haciendo los músicos?

1. EL JUEGO DE LAS RESPUESTAS RÁPIDAS

Recordamos los nombres de los vecinos de la calle del Pez, 14
Miramos la casa con todos sus pisos y nos preparamos
para responder preguntas.

En grupos. Cada jugador contesta
preguntas durante un minuto. Gana
quien conteste más preguntas correctamente.

> ¿Quién vive encima del señor Torner?
> ¿Quién vive debajo de los Matesanz?

2. EL JUEGO DE LA MÍMICA

En parejas. 😊 hace mímica, 😊 adivina qué está
haciendo. Empleamos estos verbos:

tocar	tocando (el violín, el piano, la trompeta, etc.)
jugar	jugando (al tenis, al fútbol, etc.)
dormir	durmiendo
leer	leyendo
fregar	fregando
cocinar	cocinando
comer	comiendo
escribir	escribiendo
beber	bebiendo
nadar	nadando

¿QUÉ ESTOY HACIENDO?

ESTÁS TOCANDO EL PIANO.

CORRECTO.

Yo	estoy	leyendo
Tú	estás	leyendo
Él/Ella/Usted	está	leyendo
Nosotros	estamos	leyendo
Ellos/Ellas/Ustedes	están	leyendo

3.  Dante, el elefante, tiene que jugar al tenis con sus amigos dentro de unos minutos, pero no encuentra sus cosas. Ayúdale. Dile dónde están

las zapatillas, la camiseta, la raqueta, la toalla, los pantalones, los calcetines, las pelotas, las muñequeras.

Pueden estar en estos sitios:

debajo de la cama / el armario/ la silla / la mesilla de noche.
encima de la cama / el armario/ la silla / la mesilla de noche.

Pronunciación y Ortografía

  Escucha y repite los dos tipos de "r".
Clasifica estas palabras en dos grupos, "r" simple y "rr" múltiple.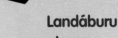

Landáburu	Arrese	Rubén	Martínez	jugador
alarma	costumbre	derecha	correcta	parada
deberes	fregando	recibiendo	Pilar	hora

Repite la frase entera: "Repita la respuesta, por favor."

EL HUMANO PEQUEÑO ESTÁ HERIDO.

EL HUMANO NO PUEDE BUSCAR COMIDA.

EL HUMANO TIENE FRÍO.

CON ESTA CORONA PUEDO VER A TODOS MIS AMIGOS...

¡¿CÓMO?! HAY UN AGUARÁ CON CARLOS.

Después de la visión de Mauro, el padre de Natalia sale con otros jinetes en busca de nuestro amigo Carlos.

¡CARLOOOS! ¡CARLOOOS!

MÁS HUMANOS.

AAUUU

¿EH?

¡ALTO! UN AGUARÁ.

ES POR AHÍ. VAMOS A VER.

¡POR ALLÍ SE MUEVE ALGO!

¡MIREN, AHÍ ESTÁ CARLOS!

¿QUÉ PASÓ?

¿DÓNDE ESTÁ EL AGUARÁ? ¿TE HIZO DAÑO?

CARLOS, ¿QUÉ TAL ESTÁS?

ME DUELEN MUCHO LA CABEZA Y LA PIERNA, PERO ESTOY BIEN, GRACIAS AL AGUARÁ. ES MI SALVADOR.

Al llegar a la estancia...

CARLOS, AQUÍ ESTÁN UNOS AMIGOS TUYOS.

¡HOLA, CARLOS!

CARLITOS, ¿CÓMO ESTÁS?

Carlos les cuenta su aventura.

¡JULIA, PALOMA, MAURO, QUÉ SORPRESA! ¡QUÉ CONTENTO ESTOY DE VEROS!

¡QUÉ SUERTE! TE AYUDÓ UN AGUARÁ MÁGICO.

...Y ESO ES TODO. ESE AGUARÁ NO ES MÁGICO, PERO ES MI AMIGO PARA SIEMPRE.

NOS VEMOS EN EL EPISODIO 4

¿A qué hora quedamos?

 Escucha.

¿DIGA?

NO SÉ. ¿POR QUÉ?

SÍ, CLARO. ¿DÓNDE NOS VEMOS?

¿Y A QUÉ HORA QUEDAMOS?

OYE, ÁLVARO, SOY MÓNICA. ¿QUÉ VAS A HACER ESTA TARDE?

PORQUE HAY UNA FIESTA EN CASA DE MI AMIGA EVA. ES SU CUMPLEAÑOS, ¿QUIERES VENIR CONMIGO?

EN CASA DE EVA. EN LA CALLE DOCTOR CORTÉS, NÚMERO CUARENTA Y CINCO, CUARTO DERECHA.

¿QUÉ TAL A LAS OCHO Y CUARTO?

ADIÓS, HASTA LUEGO.

VALE, A LAS OCHO Y CUARTO.

 ¿Has entendido? ¿Son verdaderas (di sí) o falsas (di no y corrige) estas frases?

	V	F
		×

- *Hay una fiesta en casa de Mónica.*
- *No. Hay una fiesta en casa de Eva.*

	V	F
a) Mónica y Álvaro van a ir a la fiesta.		
b) Mónica y Álvaro van a verse en casa de Mónica.		
c) Eva vive en la calle Doctor Cortés.		
d) Eva vive en el quinto derecha.		
e) Mónica y Álvaro quedan a las ocho.		

¡EN MARCHA!

1. Relaciona preguntas y respuestas.

1 ¿A QUÉ HORA QUEDAMOS?
2 ¿QUÉ VAS A HACER ESTA TARDE?
3 ¿QUIERES VENIR CONMIGO?
4 ¿QUÉ PISO ES?
5 ¿DÓNDE NOS VEMOS?
6 ¿PODEMOS QUEDAR A LAS OCHO Y MEDIA?
7 ¿QUIÉN ES?
8 ¿DÓNDE VIVES?
9 ¿ESTÁ JESÚS?

A ESTÁ DURMIENDO.
B SEXTO IZQUIERDA.
C BUENO.
D ¿QUÉ TE PARECE EN MI CASA?
E A LAS CINCO.
F EN LA CALLE LÓPEZ GISBERT.
G SÍ, CLARO.
H SOY ISABEL.
I NADA.

2. En parejas: 😊 llama a 😊 para quedar.
Cada uno lee su tarjeta y memoriza la información.
Luego 😊 empieza el diálogo.

> 😊 ¿Diga?
> 😊 ¿Está... ? (nombre de 😊) etc.

El Zorro

A
- Vas a ir al cine con un/-a amigo/a.
- Invitas a B a ir también.
- La película se llama El Zorro.
- El cine está en la calle Ferrocarril.
- La película empieza a las 18,00 o a las 20,15.
- Tu amigo/a quiere ir a las 18,00.

B
- Estás en casa.
- Hay un partido de tenis /una película en la tele a las 18,00.
- Tú quieres ver ese partido / esa película.
- Te llama A para ir al cine.
- La calle Ferrocarril está cerca de tu casa.

Pronunciación y Ortografía

  Escucha y repite estas palabras que tienen diptongos.

izquierda	veinte	bailando	Sergio
quien	cuarenta	media	euro
fiesta	Laura	colegio	nuestro

Repite la frase entera: **¿Quién está a la izquierda de Laura?**

Lección dos

En la fiesta

 Observa.

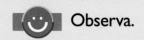

 Observa.

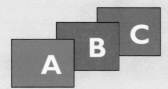

A está **delante de** B.
C está **detrás de** B.
B está **entre** A y C.

¿Quién es el chico que está tocando la guitarra?
Mónica es la chica que está a la derecha del equipo de música.

 Escucha y completa lo que dicen Laura y Andrea.

Andrea: ¿Quién es el chico que está tocando la guitarra?

Laura: Ese es _____ . Pasa las vacaciones en San Juan.

Andrea: Toca la guitarra muy bien y es muy guapo. ¿Y _____ está al lado de Alberto, sentado en el sofá? ¿Ese cómo se llama?

Laura: Se llama Sergio. Es muy _____ .

Andrea: ¿Y quién es Mónica?

Laura: Mira, Mónica es la chica que está delante del equipo de música, _____ está hablando con _____ .

Andrea: Ah, sí, ya la veo. ¿Son ustedes muy _____ , verdad?

Laura: Sí, somos miembros del club "Amigos de la Naturaleza" y vamos al mismo colegio.

 **1.** Mira otra vez el dibujo.

a) ¿Cómo se llama la chica que está bailando?
b) ¿Quién es Amalia?
c) ¿Cómo se llama el chico que está al lado de Alberto?
d) ¿Quién es Álvaro?

2.  En parejas. Como Andrea y Laura, miramos el dibujo e identificamos a nuestros amigos.

😊 hace preguntas y 😊 contesta.

Usa estas palabras.

bailando

delante de

bebiendo

entre

poniendo

hablando

al lado de

detrás de

3. Igual que en la fiesta de Eva, identificamos a nuestros compañeros de clase.

Pronunciación y Ortografía

  Entonación. Escucha y repite varias veces la conversación grabada.

Fíjate en la entonación. Luego, en parejas (😊 😊), leemos el diálogo.

😊 ¿Diga?

😊 ¿Está Pilar?

😊 Sí, ¿quién es?

😊 Soy Teresa.

😊 Hola, Teresa. Soy Carlos, el hermano de Pilar.

😊 ¡Ah, hola, Carlos! ¿Qué tal estás?

😊 Bien, ¿y tú?

😊 Bien, gracias.

Proyecto 2
Los Trotamundos

Las invitaciones

LA IDEA: Tenemos que hacer 4 cosas el próximo fin de semana (viernes, sábado y domingo) con nuestros amigos.

LAS INSTRUCCIONES:

- Cada jugador/-a tiene que hacer 4 actividades distintas.

- Para cada una tiene que "quedar", por lo menos, con otros 2 amigos.

- Tiene que hacer dos fichas como esta y rellenarlas con las actividades del cuadro:

FICHA

- Te gusta _____
- No te gusta _____
- Tienes que _____
- No puedes _____

ACTIVIDADES

Te gusta / No te gusta...
ir al cine a ver...
ir al concierto de...
jugar... al parchís / al trivial / a las cartas.
jugar... al fútbol / al baloncesto / al tenis.
montar en bici / a caballo.
ir... a un museo / al parque / al zoo.

Tienes que...
estudiar el... por la...
ir... al médico / al dentista.

No puedes...
hacer deportes porque te duele un brazo.
ir al cine porque no tienes dinero.

SAFARI MADRID
ALDEA DEL FRESNO
SAFARIS REUNIDOS, S. L.
C.I.F. B-03817418

ENTRADA COMBINADA

1300 P
I.V.A. incl

- Prepara tres páginas de agenda como estas. Como ves hay seis huecos, rellena al menos 4 con tus citas. Tienes que escribir:

- la hora y el lugar (¿cuándo? / ¿dónde?)
- con quién quedas.
- la actividad.

- Hay dos ganadores: el primero en rellenar los cuatro huecos y el que queda con más amigos distintos.

 MIRA ESTE EJEMPLO DE PEDRO:

Marzo VIERNES 23

mañana

tarde
estudiar

Marzo SÁBADO 24

mañana

tarde

Marzo DOMINGO 25

mañana
parchís,
10.00, en casa de David,
con David, Teresa y Beatriz.

tarde

EVA, ¿QUIERES JUGAR AL PARCHÍS?

LO SIENTO, DAVID, NO ME GUSTA EL PARCHÍS.

PEDRO, ¿QUIERES JUGAR AL PARCHÍS?

EL VIERNES POR LA TARDE.

¿Y EL DOMINGO POR LA MAÑANA?

¿A LAS DIEZ EN MI CASA?

CON TERESA Y BEATRIZ.

VALE. ¿CUÁNDO?

LO SIENTO, DAVID. EL VIERNES POR LA TARDE TENGO QUE ESTUDIAR CON MÓNICA.

VALE. ¿A QUÉ HORA Y DÓNDE?

MUY BIEN. ¿CON QUIÉN JUGAMOS?

DOMINGO mañana:
parchís, 10.00, en casa de David con Teresa y Beatriz.

Lección uno

¿Qué talla usas?

 Observa y relaciona.

CAMPAMENTO RONCAL

AYUDA A SALVAR ESPECIES AMENAZADAS

Senderismo por los Pirineos

Semana Santa: 28 de marzo al 4 de abril

RECOMENDACIONES

Llevar ropa cómoda y de abrigo:

- 1) botas de montaña
- 2) zapatillas de deporte
- 3) jersey de lana
- 4) pantalón corto y largo
- 5) calcetines de lana
- 6) chubasquero o anorak

E

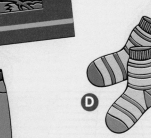
D

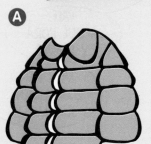
A

B

C

F

Escucha. Manuel está preparando la mochila para el viaje, pero no encuentra el chubasquero.

ALBERTO, NO ENCUENTRO MI CHUBASQUERO. ¿PUEDES PRESTARME UNO?

NO SÉ QUÉ NÚMERO.

BUENO. ¿PUEDO PROBÁRMELO?

SÍ, TENGO UN CHUBASQUERO DE MI HERMANO. ¿QUÉ TALLA USAS?

EL CHUBASQUERO ES DE LA TALLA 5.

VALE.

 ¡EN MARCHA!

1. 😊 EL JUEGO DE LOS PRÉSTAMOS

Miramos la lista de recomendaciones y escribimos cada uno (sin que nadie lo vea) en un papel:
- una prenda que nos falta y nuestra talla.
- dos prendas de sobra, que podemos prestar.

Ahora vamos por la clase buscando a alguien que pueda prestarnos lo que necesitamos. También tenemos que prestar las prendas de sobra. La talla debe ser la exacta o sólo una más grande / pequeña. Gana quien primero consiga su prenda y preste las dos que le sobran.

😊 *Oye,* 😊 *, no encuentro mi jersey. ¿Puedes prestarme uno?*

😊 *Lo siento, sólo tengo uno.*

😊 *Oye,* 😊 *, no encuentro mi jersey. ¿Puedes prestarme uno?*

😊 *Sí, tengo uno de sobra. Es de la talla 4. ¿Qué talla usas?*

😊 *Uso la talla 4.*

😊 *Entonces te lo presto.*

😊 *Gracias.*

2. Este es el equipaje de Andrea. Hay cosas que no debe llevar a la montaña. ¿Cuáles?

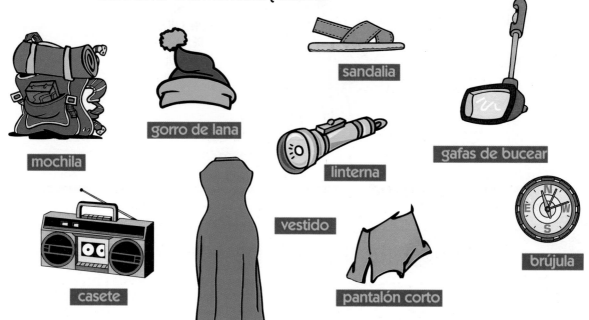

mochila

gorro de lana

sandalia

linterna

gafas de bucear

casete

vestido

pantalón corto

brújula

3. Aquí hay tres fotos de Marta, pero están recortadas, y los trozos se han mezclado. En la número 1, Marta debería estar vestida para ir a una fiesta, en la 2, para ir al campo de excursión, en la 3, para jugar al béisbol. Busca los trozos correctos y contesta las preguntas:

¿Qué se pone Marta para...   ... ir a una fiesta?
... ir al campo?
... jugar al béisbol?

Lección dos

Quiero ese de ahí

Escucha y observa. Alicia se va de compras.

BUENOS DÍAS, QUIERO UN CINTURÓN.

¿TE GUSTA ESE CINTURÓN MARRÓN?

NO, ME GUSTA MÁS AQUEL CINTURÓN NEGRO. ¿CUÁNTO CUESTA?

275 PESOS.

VALE, LO COMPRO.

50 $
200 $
400 $
200 $
AQUÍ

200 $
350 $
350 $
AHÍ

80 $
275 $
400 $
ALLÍ

Observa.

ALLÍ
Aquella gorra
Aquel cinturón
Aquellas gafas de sol
Aquellos pantalones

AHÍ
Esa gorra
Ese cinturón
Esas gafas de sol
Esos pantalones

AQUÍ
Esta gorra
Este cinturón
Estas gafas de sol
Estos pantalones

Me gusta **esta** gorra. **La** compro.
Me gusta **este** cinturón. **Lo** compro.
Me gustan **estas** gafas. **Las** compro.
Me gustan **estos** pantalones. **Los** compro.

69

1. 😊😊

Miramos las mesas con ropa. 😊 es el comprador/-a y 😊 es el vendedor/-a. Seguimos el ejemplo.

> 😊 Buenos días, quiero...
> 😊 ¿Le gusta...?
> 😊 No, me gusta más... ¿Cuánto cuesta?
> 😊 ...
> 😊 Vale, lo compro.

Observa.

100	cien
200	doscientos
300	trescientos
400	cuatrocientos

101	ciento uno
112	ciento doce
248	doscientos cuarenta y ocho

500	quinientos
600	seiscientos
700	setecientos
800	ochocientos
900	novecientos

2.
En clase de Alicia organizaron un mercadillo para cambiar juguetes y cosas usadas. Alicia y Rafa ofrecen cosas. Mira lo que tiene cada uno para ofrecer y completa las frases con ESTE, ESTA, ESTOS, ESTAS, o ESE, ESA, ESOS, ESAS, como en el ejemplo.

RAFA TIENE...

Pegatinas

Cuaderno

Lápices de colores

Camiseta

Figura

Alicia: ¿Te gusta alguna de __estas__ cosas, Rafa?

Rafa: Sí, _____ yo-yo es muy bonito. Te lo cambio por _____ cuaderno.

Alicia: Vale. Y yo te cambio _____ pegatinas por _____ tebeo.

Rafa: Bueno. Te cambio _____ película por _____ figura.

Alicia: Mmm, no, no me gusta la figura. Prefiero _____ lápices.

Rafa: Bueno, los lápices. ¿Quieres cambiar más cosas?

Alicia: No sé... ¿te gusta _____ muñeca?

Rafa: ¿Una muñeca? Bueno, sí, para mi hermana. Te la cambio por _____ camiseta. ¿De acuerdo?

Alicia: De acuerdo.

ALICIA TIENE...

Yo-yo con luces

Película de vídeo

Muñeca

Discos

Tebeo

😊😊 Ahora, en parejas, escribimos una lista de cosas que queremos cambiar y empezamos a ofrecer cosas, como en el diálogo anterior.

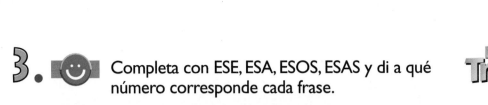

3. Completa con ESE, ESA, ESOS, ESAS y di a qué
número corresponde cada frase.

n° ___ Mira ____ chica. Está bañándose.
n° ___ Mira _____ niños. Están haciendo un castillo.
n° ___ Mira ____ hombre. Está montado en una moto de agua.
n° ___ Mira ____ olas. ¡Qué grandes!

4. En parejas: 😊 pide prestado algo suyo a 😊 y 😊 acepta o dice
que no, siguiendo el modelo.
Si no se te ocurren cosas que pedir, usa las palabras azules.

😊 ¿Puedes prestarme tus gafas de sol?
😊 No, lo siento. Las necesito yo.

😊 ¿Puedes prestarme tu bolígrafo?
😊 Sí, claro, tómalo. No lo necesito.

las gafas de sol
la goma de borrar
el cómic
el bolígrafo
la cartera
la radio

el CD
la bici
los libros
el jersey
los lápices de colores
la chaqueta

prestar

Pronunciación y Ortografía

Escucha y repite. Clasifica las palabras siguientes por el lugar donde llevan el acento.
Mira los ejemplos.

AGUDAS (aquí)		LLANAS (¿dónde?)		ESDRÚJULAS (música)
equipaje	probártelo	préstamo	también	prestar
encuentro	pantalones	esquí	acuático	vídeo

Gente

los que compran y los que venden.

☐ cajero/a (el/la)
☐ cliente/a (el/la)
☐ comprador/-a (el/la)
☐ dependiente (el/la)
☐ vendedor/-a (el/la)

Cosas

prendas de vestir, complementos, partes de una prenda, cosas de la tienda, etc.

☐ abrigo (el)
☐ blusa (la)
☐ bolsa (la)
☐ bolsillo (el)
☐ bolso (el)
☐ bota (la)
☐ botón (el)
☐ caja (la)
☐ calcetín (el)
☐ camisa (la)
☐ camiseta (la)
☐ chaqueta (la)
☐ cinturón (el)
☐ cortina (la)
☐ cuello (el)
☐ descuento (el)
☐ espejo (el)

☐ estantería (la)
☐ etiqueta (la)

☐ falda (la)
☐ jersey (el)

□ oferta (la)
□ pantalón (el)
□ percha (la)
□ probador (el)
□ rebajas (las)
□ sandalia (la)
□ talla (la)
□ tarjeta de crédito (la)
□ traje (el)
□ vestido (el)
□ zapatilla (la)
□ zapato (el)

1 Observa despacio la ilustración.

2 Relaciona diez cosas de la tienda con los números correspondientes.

3 Busca cinco nombres de prendas de vestir y di los números.

4 Busca tres nombres de partes de una prenda y di también los números.

□ manga (la)
□ mochila (la)

□ mostrador (el)
□ número (el) -de zapato, de talla-

SÍ, ¡QUÉ SUERTE! NOSOTROS TAMBIÉN BUSCAMOS A ESE AGUARÁ.

HOLA. ME LLAMO MENNOX. ESTOS SON MIS AYUDANTES. SOMOS BIÓLOGOS. ESTAMOS ESTUDIANDO LA VIDA DE LOS AGUARÁS Y QUEREMOS SALVARLOS. ¿VERDAD, MUCHACHOS?

SÍ, JEFE.

JA, JA, JA.

BUENO, CHICO, TÚ PUEDES AYUDARNOS A ENCONTRAR ESE AGUARÁ, ¿VERDAD?

BUENO, SI SON USTEDES BIÓLOGOS Y QUIEREN SALVAR A LOS AGUARÁS, TODOS LOS AYUDAREMOS, ¿EH, AMIGOS?

SÍ, CLARO QUE LOS AYUDAREMOS A SALVAR A LOS AGUARÁS.

ESOS SEÑORES NO SON BIÓLOGOS Y NO QUIEREN SALVAR A LOS AGUARÁS, ESTOY SEGURA.

Más tarde, el padre de Natalia y Paloma enseñan al señor Mennox dónde se encuentran los aguarás.

MIRE, AQUÍ, AL LADO DEL RÍO, VAN LOS AGUARÁS POR LA TARDE A BEBER. HAY QUE IR A CABALLO, O EN UN TODOTERRENO. EL AGUARÁ ES EL ANIMAL MÁS RÁPIDO DE LA SABANA, CON ESAS PATAS LARGAS QUE TIENE...

MUY INTERESANTE, MUY INTERESANTE, SÍ...

OYE, PALOMA, ¿TÚ CREES A ESE SEÑOR MENNOX?

HUMM, NO SÉ. ¿POR QUÉ LO PREGUNTAS?

ESOS HOMBRES NO SON BIÓLOGOS, CREO QUE SON CAZADORES.

¿SÍ? PUES VOY A DESCUBRIRLO. CON ESTE ANILLO PUEDO LEER LOS PENSAMIENTOS DE LA GENTE.

BUENO, HASTA LUEGO. VAMOS A SALVAR A ESE AGUARÁ.

A VER SI LO CAZO Y EL SEÑOR MAX ME PAGA MUCHO DINERO. JE, JE, JE.

¡AJÁ! TIENES RAZÓN, NAYUÁ, SON CAZADORES. QUIEREN CAZAR AL AGUARÁ PARA VENDERLO.

NOS VEMOS EN EL EPISODIO 5

Lección uno

Especies amenazadas

😊 Observa.

CANTABRIA

Imagen de bisontes.
Cuevas de Altamira (Cantabria, España)
Año 50.000 antes de Cristo.

AYUDA A SALVAR ESPECIES AMENAZADAS

Lee.

Los bisontes europeos antes eran millones, ahora son sólo mil, todos en Polonia.

El Panda gigante es un oso. Es un animal pacífico y cariñoso. Sólo quedan trescientos pandas en China.

Muchas especies animales están en peligro de extinción. Las causas: la destrucción de sus hábitats, la contaminación, la caza y la competencia con nuevas especies.

Observa, escucha y repite.

100	cien
101	ciento uno
200	doscientos/as
1.000	mil
2.000	dos mil
2.222	dos mil doscientos veintidós
28.000	veintiocho mil
100.000	cien mil
1.000.000	un millón

cien focas
cien búfalos
(no cambia)

doscientas focas
doscientos búfalos

mil focas
mil búfalos
(no cambia)

1.  En parejas. Habla con tu compañero/a sobre estos animales en peligro de extinción.

☺ ¿Cuántos pandas quedan?
☺ Sólo trescientos.

☺ ¿Cuántas focas fraile quedan?
☺ Sólo quinientas.

Animal	País	Nº ejemplares
el búfalo asiático	India, Nepal	2.200
el bisonte europeo	Polonia	1.000
el gorila del monte	Ruanda, África	600
la foca fraile mediterránea	Mar Mediterráneo	500
el panda gigante	China	300
el tamarín león dorado	América del Sur	200
la grulla blanca	América del Norte	180

tamarín león dorado

2. Escribe con letras.

En mi colegio hay aproximadamente (190) _____ chicos y (210) _____ chicas, pero únicamente comen en el comedor (150) _____ . Los otros (250)_____ comen en su casa y vuelven por la tarde. La comida del colegio es buena y barata. Sólo cuesta (800) _____ pesos al día, o (10.000) _____ al mes . Las familias con muchos hijos tienen precios especiales y sólo pagan (3.500) _____ al mes.

3. Escucha a un naturalista hablar de la foca fraile y contesta a las preguntas.

1.- En Hawaii quedan...
a) quinientas focas.
b) mil quinientas focas.
c) quinientas cincuenta focas.

2.- Las focas están extinguidas en:
a) el Caribe.
b) el Mediterráneo.
c) Hawaii.

3.- Di cuáles de las siguientes son causas de la extinción de las focas.
a) los barcos de vela.
b) la contaminación.
c) la pesca excesiva.
d) los aviones.

4. ¿Conoces otros animales en peligro de extinción?

ESTAS SON MANERAS DE PROTEGER A LAS ESPECIES EN PELIGRO. ORDÉNALAS SEGÚN SU IMPORTANCIA.

a) prohibir la caza o la pesca de especies en peligro.
b) hacer reservas naturales para especies en peligro.
c) contaminar menos.
d) no comprar productos hechos con pieles, colmillos, etc., de animales en peligro.
e) hacer más parques zoológicos.
f) estudiar más la vida y las costumbres de los animales.

CLASIFICACIÓN	
1º	
2º	
3º	
4º	
5º	
6º	

Pronunciación y Ortografía

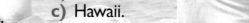 Algunas palabras llevan tilde para no confundirlas con otras que tienen las mismas letras. Observa estos ejemplos y dales la entonación. Luego escucha y comprueba.

¿Qué dices? Digo que tengo hambre.

¿Cuándo es de noche? Cuando se pone el sol.

¿Cuál es el más grande?

Leonardo está hablando de naturaleza con nuestros amigos exploradores. Escucha.

1 A VER, CHICOS, ¿CUÁL ES EL ANIMAL MÁS GRANDE DEL MUNDO?

5 BUENO, HAY MUCHAS CLASES DE BALLENAS, MÓNICA. ¿SABES CUÁL ES LA MÁS GRANDE?

7 ES LA BALLENA AZUL. ESTA BALLENA ES EL ANIMAL MÁS GRANDE DE TODOS. UN ELEFANTE, ÁLVARO, PUEDE PESAR SEIS TONELADAS. ¿SABES CUÁNTO PESA UNA BALLENA AZUL?

9 PESA CIENTO CINCUENTA TONELADAS.

2 EL ELEFANTE ES MUY GRANDE.

6 NO ME ACUERDO.

4 NO, EL ELEFANTE ES MÁS GRANDE QUE LA BALLENA.

3 YO CREO QUE ES LA BALLENA.

8 NO SÉ.

10 ¡AHÍ VA!

79

Lee estas frases. ¿Cuáles son verdaderas y cuáles falsas?

El elefante es el animal más grande de todos.

V	F
	X

1. Rafael cree que la ballena es el animal más grande del mundo.
2. Mónica no sabe cuál es la ballena más grande, la gris o la azul.
3. La ballena azul pesa ciento cincuenta toneladas.

V	F

Observa.

La ballena es más grande que el elefante.

La ballena es el animal más grande del mundo / de todos / etc.

1. Lee y, en parejas, haz comparaciones sobre los animales.

El avestruz es el ave más grande de todas. Es muy alta.
Mide dos metros setenta centímetros de alto.
Es también muy veloz. Puede correr a setenta
y dos kilómetros por hora.
La jirafa mide hasta cinco metros y medio de alto.
El guepardo puede correr a cien kilómetros por hora.
El halcón peregrino vuela a doscientos kilómetros por
hora. Ningún animal se mueve a esta velocidad.

¿Qué animal es más alto, la jirafa o el avestruz?
¿Qué animal es más veloz, el avestruz, el guepardo o el halcón?

2. Observa.

PALOMA	CARLOS	JULIA	MAURO
13 años	12 años	11 años	10 años
1,50 metros	1,45 metros	1,30 metros	1,25 metros
45 kilos	48 kilos	35 kilos	37 kilos

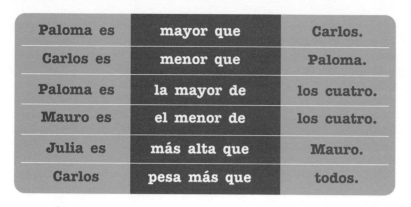

Paloma es	mayor que	Carlos.
Carlos es	menor que	Paloma.
Paloma es	la mayor de	los cuatro.
Mauro es	el menor de	los cuatro.
Julia es	más alta que	Mauro.
Carlos	pesa más que	todos.

más / menos
alto / bajo
delgado / gordo

 En grupos de cuatro. Cada uno escoge un personaje de Los Trotamundos y hace comparaciones.

Yo soy Mauro. Soy *el menor* de los cuatro.

3. Observa.

Imanol el Caracol
2 años
5 cm.
40 gr.

Sandra la Salamandra
8 años
20 cm.
200 gr.

Juana la Iguana
10 años
1,5 m.
5 kg.

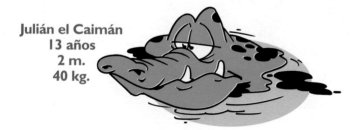

Julián el Caimán
13 años
2 m.
40 kg.

Comparamos la edad:

Juana es mayor que Sandra.
Sandra es menor que Juana.
Julián es el mayor de todos.
Imanol es el menor de todos.

 Ahora completa tú las otras comparaciones.

Comparamos la estatura:

_____ mide un metro y medio, _____ mide veinte centímetros. Juana es más alta que Sandra. El más alto de todos es _____.
_____ es el menos alto / más bajo de todos.

Comparamos el peso:

Julián pesa _____ que Juana, y Sandra _____ más que Imanol.
Julián es el que más pesa de _____.
El que menos pesa de todos es _____.

Gente
los exploradores
y los instructores.

Cosas
de la naturaleza;
ropa que llevan y
actividades que
realizan en el campo
los exploradores.

- ☐ águila (el)
- ☐ árbol (el)
- ☐ bañador (el)
- ☐ basura (la)
- ☐ bicicleta (la)
- ☐ blusa (la)
- ☐ bolsa (la)
- ☐ bosque (el)
- ☐ bota (la)
- ☐ calcetín (el)
- ☐ camino (el)
- ☐ camisa (la)
- ☐ camiseta (la)
- ☐ canoa (la)
- ☐ cielo (el)
- ☐ contenedor (el)
- ☐ cubo (el)
- ☐ flauta (la)

- ☐ fuente (la)
- ☐ gorra (la)
- ☐ guante (el)
- ☐ guitarra (la)

- ☐ hierba (la)
- ☐ hoja (la)
- ☐ lata (la)
- ☐ mapa (el)

- [ ] pelota (la)
- [ ] pincho (el)
- [ ] polluelo (el)
- [ ] prismáticos (los)
- [ ] puente (el)
- [ ] remo (el)
- [ ] río (el)
- [ ] roca (la)
- [ ] sombrero (el)
- [ ] tienda de campaña (la)
- [ ] tierra (la)
- [ ] vestido (el)
- [ ] zapatilla (la)

1 Observa despacio la ilustración.

2 Relaciona diez cosas de la naturaleza con los números correspondientes.

3 Busca diez nombres relacionados con las actividades de los exploradores y di los números.

4 ¿Dónde están los instructores: Isabel, Bill, Leonardo y Ze Carlos? Di los números, dónde están y qué están haciendo.

5 Busca cinco nombres de prendas de vestir que llevan los instructores, di los números correspondientes y describe cómo va vestido uno de ellos.

- [ ] mochila (la)
- [ ] montaña (la)
- [ ] nido (el)
- [ ] nieve (la)
- [ ] pájaro (el)
- [ ] paleta (la)
- [ ] pantalón (el) -corto o largo-
- [ ] pañuelo (el)

Lección uno

¿Cuándo nació Namach?

Observa.

POLICÍA DE TRÁFICO INTERESTELAR

Namach 34I/*-¥

Raza:	humana
Estatura:	2 metros sesenta
Ojos:	amarillos y azules
Pelo:	verde
Piel:	azul claro

  Lee la biografía de Namach.

- *Nació en el año 2348 en la Tierra, provincia de Cosmos, pero vivió en muchos planetas.*
- *Empezó el colegio a los dos años y terminó los estudios universitarios a los 10.*
- *Se casó a los doce años y tuvo cincuenta y cuatro hijos.*
- *Trabajó de piloto.*
- *Después viajó por todos los planetas enseñando a los pueblos a convivir en paz.*
- *Algunos dicen que murió, pero no es cierto.*
- *Desapareció en 2548, a los 200 años de edad.*

 Contesta a estas preguntas.

1.- ¿Te recuerda a alguien Namach?

2.- ¿Qué cosas de esta biografía de Namach te parecen raras?

3.- ¿Qué ocurrió en estos años?

    a) dos mil trescientos cuarenta y ocho.

    b) dos mil trescientos cincuenta y ocho.

    c) dos mil quinientos cuarenta y ocho.

Observa

	Verbos regulares...			...en tiempo pasado
-ar	empezar - casarse - trabajar - terminar	- ó	empezó- se casó - trabajó - terminó
-er,-ir	nacer - desaparecer - vivir	-ió	nació - desapareció - vivió

Hay muchos verbos que son IRREGULARES, y son distintos. Tenemos que aprenderlos de memoria.

tener	tuvo		morir	murió

¡EN MARCHA!

1.  Completa la biografía del pintor español Pablo Picasso con los verbos **nacer, morir, vivir, estudiar.**

Picasso _____ en Málaga en 1881. _____ Bellas Artes en Barcelona y Madrid. _____ en Francia la mayor parte de su vida. _____ en 1973.

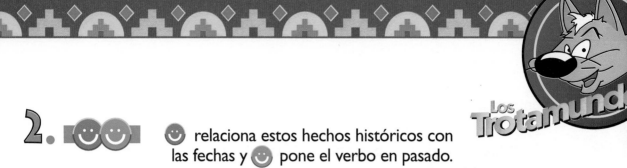

2.  :) relaciona estos hechos históricos con las fechas y :) pone el verbo en pasado.

Cristóbal Colón (llegar) a América...

Neil Amstrong (pisar) la Luna...

Alexander Bell (inventar) el teléfono...

La oveja Dolly (nacer)...

en 1876

el 21 de julio de 1969

el 12 de octubre de 1492

en 1997

3. Ahora escribe la biografía de Pelé, empleando estos datos y los verbos de los cuadros.

Nacimiento:
Tres Coraçoes, Brasil
23 de octubre de 1940
Fútbol profesional:
desde 1956 hasta 1977.
1281 goles; 1363 partidos.
Tres Copas del Mundo con Brasil:
1958, 1962, 1970.
Mejor futbolista del mundo.

| nacer | empezar | retirarse | ser |
| jugar | ganar | marcar |

Lección dos

¿Qué hiciste ayer?

  Escucha la entrevista "Un día en la vida de Alex Megavatio".

ENTREVISTADORA: ENHORABUENA POR TU ÚLTIMO CD. ¡ES ESTUPENDO!

ALEX: MUCHAS GRACIAS.

ENT.: NOS GUSTARÍA SABER CÓMO VIVES. POR EJEMPLO, AYER, ¿A QUÉ HORA TE LEVANTASTE?

ALEX: ME LEVANTÉ A LAS NUEVE Y ME FUI A CORRER UN RATO.

ENT.: Y DESPUÉS, ¿QUÉ HICISTE?

ALEX: VOLVÍ A CASA, ME DUCHÉ Y ME VESTÍ. DESAYUNÉ Y ME FUI A ENSAYAR CON MI GRUPO.

ENT.: ¿CUÁNTAS HORAS ENSAYASTE AYER?

ALEX: AYER ENSAYÉ TRES HORAS.

ENT.: ¿ESCRIBISTE ALGUNA CANCIÓN NUEVA?

ALEX: NO, AYER NO ESCRIBÍ NADA NUEVO.

ENT.: ¿DÓNDE COMISTE?

ALEX: COMÍ CON UNAS FANS EN UN RESTAURANTE.

 Observa.

VERBOS		YO	TÚ
-ar	desayunar	desayuné	desayunaste
	ensayar	ensayé	ensayaste
	ducharse	me duché	te duchaste
	levantarse	me levanté	te levantaste
-er	volver	volví	volviste
	comer	comí	comiste
	hacer (irregular)	hice	hiciste
-ir	ir (irregular)	fui	fuiste
	escribir	escribí	escribiste
	vestirse	me vestí	te vestiste

87

Ordena las viñetas.

A Se vistió.

B Comió con sus fans.

C Fue a ensayar.

D Desayunó.

E Se levantó a las 9.

F Se duchó.

1 ☐ 2 ☐ 3 ☐ 4 ☐ 5 ☐ 6 ☐

 Ahora escribe en tu cuaderno lo que hizo ayer Alex Megavatio.

¡EN MARCHA!

1. Mónica nos cuenta lo que hizo ayer. Completa con los verbos en pasado como en el ejemplo.

Ayer (a) _no me duché_ (NO DUCHARSE) por la mañana porque (b) _____ (LEVANTARSE) tarde. ¡Soy una dormilona! (c) _____ (DESAYUNAR) solamente leche fría y dos galletas y (d) _____ (IR) al colegio en bici. (e) _____ (VOLVER) a casa a la una y (f) _____ (COMER) con mis padres y hermanos. Luego (g) _____ (ESCRIBIR) una carta a una amiga e (h) _____ (HACER) los deberes en mi cuarto.

Ahora nosotros hacemos preguntas a Mónica. Lee el texto otra vez para recordar lo que dice Mónica, y completa las preguntas con los mismos verbos, como en el ejemplo.

a. ¿Por qué no te duchaste por la mañana?
b. ¿Por qué...?
c. ¿Qué...?
d. ¿Cómo...?
e. ¿A qué hora...?
f. ¿Con quién...?
g. ¿A quién...?
h. ¿Dónde...?

2.  En parejas, pregunta a tu compañero/a qué hizo ayer.
Puedes hablar de tu vida real o inventarte una personalidad. Emplea este vocabulario.

desayuno - galletas - tostadas - cereales - leche - cacao -
yogur - zumo - me duché - me bañé - me lavé el pelo -
fui a clase - a la oficina - al trabajo - comí en un restaurante -
una cafetería - casa de... - estudié - vi la tele -
salí con unos/as amigos/as - me quedé en casa

3. Escucha y apunta todos los datos que puedas sobre el profesor Vil.

¡Exclusiva!
¡El inspector Ojeda entrevista al profesor Vil!

Compara tus notas con el ejercicio de la unidad 2, lección 2, en el que Ojeda cuenta un día en la vida del profesor Vil. ¿Han cambiado los hábitos diarios del profesor?

Pronunciación y Ortografía

Copia estas palabras, subrayando la sílaba acentuada y añadiendo la tilde donde haga falta.

empezar	vivir	(yo) termino	(él) empezo	(tú) viviste
terminar	empiezo	(yo) vivo	(ella) termino	

 Escucha y repite, y fíjate en la ortografía.

El trabajo de Daniel es muy interesante. Es veterinario. (el trabajo = sustantivo)
Él trabajó en muchos países cuando era joven. (él trabajó = verbo en pasado)

Ahora añade las tildes a estas frases:
Vamos, acabate ya el desayuno.
Mi hermano ya desayuno a las siete.
Yo desayuno mas tarde.

SOMOS LOS MEJORES. SOMOS LOS MÁS RÁPIDOS, SOMOS LOS MÁS LISTOS.

NO SABEMOS DÓNDE ESTÁN LOS FALSOS BIÓLOGOS. TENEMOS QUE ENCONTRARLOS. TIENEN AL AGUARÁ.

¿POR QUÉ NO BUSCAR SU GUARIDA? TIENEN QUE TENER UNA GUARIDA, PARA GUARDAR TODOS LOS ANIMALES QUE CAZAN.

BUENA IDEA. PALOMA, ¿POR QUÉ NO USAS TU ANILLO MÁGICO?

NO PUEDO. EL ANILLO NO ME DICE DÓNDE ESTÁ UNA PERSONA, SÓLO LO QUE ESTÁ PENSANDO.

YO CON MI CORONA PUEDO PENSAR EN UNA PERSONA Y VER DÓNDE ESTÁ. PERO, ¿PUEDO HACERLO CON UN ANIMAL?

TIENES QUE INTENTARLO, MAURO. ES NUESTRA ÚNICA POSIBILIDAD.

CHAMÁN, NECESITO TU AYUDA AHORA TENGO QUE VER A UN AMIGO MUY ESPECIAL...

LOS ANIMALES SON NUESTROS HERMANOS, MAURO. TÚ PUEDES COMUNICARTE CON ELLOS. PIENSA EN EL AGUARÁ COMO AMIGO, MAURO... COMO AMIGO...

SHAASSS

SÍ... SÍ..., LO VEO... ¡LO VEO!... ¡MADRE MÍA! ¿QUÉ ES ESO?

EL AGUARÁ PRISIONERO

A 300 kilómetros, en la frontera entre Argentina y Brasil, están los saltos del Moconá, una enorme cascada.

Debajo de la cascada está la guarida de Mennox.

ESCUCHA, SOY TU AMIGO, VOY A SALVARTE. CONFÍA EN MÍ.

¿DE DÓNDE SALE ESA VOZ?

ESTÁ EN UNA CUEVA DEBAJO DE UNAS CATARATAS MUY GRANDES.

¡LOS SALTOS DE MOCONÁ! ESTÁN A UNOS 300 KMS.

CARLOS, TÚ NO DEBES VENIR. TIENES LA PIERNA MAL, NO PUEDES ANDAR.

¡ALLÁ VAMOS!

TENGO QUE IR CON USTEDES. EL AGUARÁ ME SALVÓ LA VIDA. TENGO QUE HACER ALGO POR ÉL.

ESTÁ BIEN. ¡VAMOS TODOS!

NOS VEMOS EN EL EPISODIO 6

91

¿CÓMO PODEMOS ENTRAR? EL CAZADOR TIENE UN ARMA.

NOSOTROS NO QUEREMOS ENTRAR, QUEREMOS SACAR DE AHÍ AL AGUARÁ, ¿VERDAD?

SÍ, CLARO, PERO, ¿CÓMO?

CON EL BASTÓN DE CHAMÁN PUEDO ABRIR TODAS LAS PUERTAS.

¡QUIERO ABRIR LAS PUERTAS DE LA JAULA DEL AGUARÁ!

Nuestro amigo el aguará siente que algo extraño sucede en la jaula en la que está encerrado.

CRAACK!

Todas las jaulas que hay en la cueva se abren ante la sorpresa del guardia que las vigila.

CRAACK! ¡ALARRRMA!

MIREN, EL AGUARÁ NO ESTÁ SOLO. HAY MUCHOS ANIMALES.

NO TODOS LOS HUMANOS SON MALOS. ADIÓS, AMIGOS, Y ¡GRACIAS!

AHÍ SE VA EL AGUARÁ.

¿CREEN USTEDES QUE VAMOS A VER A ESE AGUARÁ OTRA VEZ?

QUIÉN SABE. EL AGUARÁ ES MÁGICO, ¿NO?

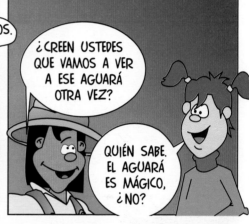

NO SÉ, PERO ESE AGUARÁ ES NUESTRO AMIGO.

QUIZÁ ESA ES LA MAGIA...

PORQUE LA MEJOR MAGIA ES LA AMISTAD.

TIENES RAZÓN, PALOMA. LA MEJOR MAGIA ES LA AMISTAD.

ESE ES MI SECRETO. MIS PEQUEÑOS AMIGOS YA LO CONOCEN.

HASTA PRONTO!

FIN

SALIDA

1. Nombra cinco países en los que se hable español.

2. Di el nombre de este animal y... AVANZA 3

AVANZA 3

14

3. ¿De qué país es típico el baile llamado tango?

4. ¿Cómo se llama el detective que vigila al excéntrico profesor Vil?

13. VUELVE A LA SALIDA

12. ¿En qué piso vives?

5. 2 TURNOS sin TIRAR

6. ¿Cuántos apellidos tienen en España e Hispanoamérica?

11. ¿Qué te gusta más, la sopa o la ensalada?

7. ¿De dónde son Los Trotamundos?

10. TIRA OTRA VEZ

9. ¿Qué cosas necesitas para poner la mesa?

8. Di algunas cosas que no debes hacer en el bosque.

94

15 Cuenta del 1 al 10 con números ordinales.

23 Compara la jirafa con el avestruz.

24 Canta una canción española.

16 Canta alguna canción hispanoamericana.

25 2 TURNOS sin TIRAR

22 ¿Quién es Namach?

26 Quieres comprar unas gafas de sol. Ve a la tienda y pregunta el precio.

17 ¿Cómo se llama el chico/a que está sentado/a a tu lado?

21 Cuenta de 100 en 100 hasta 1000.

27 ¿Qué desayunaste ayer?

18 ¿Quién está detrás y delante de ti?

20 AVANZA 3

19 Nombra tres animales en peligro de extinción.

Di el nombre de este animal. Si no lo sabes ... RETROCEDE 2

28

GUARIDA

META

CANTAMOS Y BAILAMOS CON

Himno de la alegría

CANCIÓN 13

Escucha, hermano, la canción de la alegría,
el canto alegre del que espera un nuevo día.
Ven, canta, sueña cantando, vive soñando el nuevo sol,
en que los hombres volverán a ser hermanos.
(bis)

Amigos para siempre

CANCIÓN 14

Sé que tú algún día partirás,
pero también sé que jamás olvidarás
la amistad que nos ha unido.

Amigos para siempre.
Lolái, lolái, lolái, lolái, lolái,lolá,
lolái, lolái, lolái, lolái, lolái,lolá,
lolái, lolái, lolái, lolái, lolái,lolá.
¡Ay! Amigos para siempreeee.
Lolái, lolái, lolái, lolái, lolái,lolá,
lolái, lolái, lolái, lolái, lolái,lolá,
lolái, lolái, lolái, lolái, lolái,lolá.
Amigos para siempre,
amigos para siempre.